À L'OUEST, UN CAVALIER

Jacqueline Mirande

à l'ouest
UN CAVALIER

Roman

CASTERMAN

PREMIÈRE PARTIE

I

Elle se tenait sur le balcon, silhouette mince perdue dans la triple épaisseur de ses jupons amidonnés, épaules étroites sous le basin écru du corsage strictement boutonné ras du cou. Ses traits encore adolescents paraissaient plus aigus au contraste de grosses roses blanches posées en couronne sur son front et retenant un voile de tulle qui s'arrêtait à la taille.

Il dissimulait ce qui était, avec ses yeux, sa seule beauté : ses cheveux. Leurs coulées d'or brun, d'or roux sur la masse lustrée qui avait la couleur des châtaignes faisaient penser à un bois d'automne sous le soleil.

Cette même couronne de roses blanches dont la cire un peu jaunie rendait olivâtre son teint bistré, donnait en revanche un éclat laiteux à celui de sa cousine Camille, debout elle aussi sur le balcon.

Et elle en tiraillait d'impatience les manchettes de ses mitaines, pensant qu'une fois de plus, pour qui les voyait ainsi côte à côte, Camille faisait figure de jeune ange, de camélia, d'églantine, et elle... de pruneau, d'olive, de poney sauvage... C'était encore le plus aimable !

Seul l'oncle Jérôme Eymen, qui avait vécu aux îles, disait parfois : « Enfant, tu me rappelles ces petits citrons verts sans quoi le punch créole perdrait son inimitable saveur ! » Et elle comprenait, à son regard pensif, que si curieux qu'il fût, c'était un compliment ! Alors elle se répétait la phrase pour se réconforter.

Le manche d'une ombrelle, brusquement pointé dans son dos, la fit instantanément cesser de tirer ses mitaines.

— Fanny ! Voyons ! chuchota Blanche Morange. Comment peux-tu avoir une attitude aussi inconvenante alors que la moitié de la ville te voit ! Prie !

Tante Blanche parlait d'or, à son habitude ! Mais était-ce facile de prier, comme ça, en plein air, avec tous ces regards justement que l'on sentait sournoisement vous lorgner ? Priait-on au théâtre ? La place de l'église sur laquelle s'ouvrait la maison des Morange et que dominait le balcon aujourd'hui en était un !

Assoupie d'ordinaire, les dimanches d'été, sur les odeurs de futaille et de moisissure des chais longeant les rues voisines, elle était, à cette heure des vêpres, pleine d'animation. Toutes les cloches sonnaient et le grand reposoir de la Fête-Dieu se dressait, parmi les lys, les palmiers en pot, les pivoines, sur fond de tentures cramoisi, dans l'échancrure haute du porche de l'église, juste en face du balcon. Solennel, théâtral... oui, théâtral, absolument !

Flavien l'avait très bien dit tout à l'heure !

Ce qui restait de front sous la couronne de roses se plissa, les yeux de Fanny perdirent un instant leur dureté brillante et une tendresse gonfla enfantinement sa bouche : chez les Morange, il n'y avait jamais eu que Flavien pour l'aimer. Elle lui devait ses seuls jouets d'enfant, ses seuls rires et le seul bijou qu'elle possédât, un collier de topazes brûlées qu'il lui avait rapporté, l'an passé, d'Italie.

Elle chercha si elle l'apercevait dans la foule sous le balcon, mais elle ne voyait que des chapeaux d'hommes, de femmes, qui ondulaient comme sur la houle un vaisseau de paille qui aurait eu des fleurs, des fruits pour cargaison et des rubans pour voiles.

10

Fanny savait ces choses maritimes parce que la ville était un port où venaient s'amarrer sur l'eau lente de la rivière les bricks anglais qui emportaient le vin, les trois-mâts norvégiens porteurs de bois du Nord pour la tonnellerie, des caboteurs, des gabarres et, quelquefois, de grands voiliers venus des îles dont les cales sentaient la vanille et le rhum.

Dans la rue, un détachement de dragons parut. Les sabots des chevaux faisaient voler les brins de buis dont les pavés étaient jonchés. Des cimiers des casques, tombait en ondulant la crinière rouge qui distinguait des autres cavaliers les trompettes du régiment.

Les chevaux marchaient au pas. Sur les dolmans noirs soutachés de rouge et de blanc de la tenue de parade, épaulettes et boutons scintillaient et les gants blancs faisaient des taches sur l'encolure brune des chevaux. Les cavaliers tenaient les rênes de la main gauche et de la droite la trompette de cuivre dont le fanion de soie voletait. Ils vinrent se ranger de chaque côté du grand reposoir et demeurèrent là, immobiles, cavaliers et montures comme soudés et statufiés, et les guêpes qui bourdonnaient autour des bouquets de pivoines ne faisaient même pas remuer les oreilles des chevaux.

L'officier qui commandait le détachement s'était placé devant eux, juste au ras du balcon. Il montait un beau cheval, un alezan doré aux trois balzanes royales, et lui-même était beau, songea Fanny, blond, avec des yeux clairs, plus clairs qu'elle n'en avait jamais vu !

— Ah, dit Blanche Morange sur un ton de satisfaction, la procession sort !

Et elle poussa contre les ferronneries du balcon sa robuste charpente, ses hanches larges qui étalaient les volants de sa crinoline sans le secours de cage d'osier.

Fanny regarda sans indulgence les mains de sa tante croisées sur les boules d'améthystes serties d'argent du chapelet : Camille avait les mêmes petits doigts gras et blancs que sa mère ! Camille, cette poule mouillée, toujours en train de renifler ou d'écouter aux portes ou de « rapporter »... cette horreur ! Et des révérences et des simagrées et des airs dociles... C'était un plaisir de l'épouvanter !

Fanny en perdait parfois toute mesure, à preuve ce pari qu'elle avait fait la veille au soir et qui, maintenant qu'approchait le moment de le réaliser, lui nouait un peu l'estomac !

Ce fut le cœur barbouillé comme au jour de l'an par trop de chocolats qu'elle regarda s'avancer lentement, dans un balancement de panaches de plumes, voûté de nacre et de vermeil, le grand dais de la Fête-Dieu. Il abritait le prêtre caparaçonné d'or comme pour un tournoi et tenant à deux mains comme une épée de haute lice l'ostensoir d'or où sur chaque rayon fulguraient les diamants.

Il avançait vers le reposoir. Dans les rues, sur la place, tout le monde s'agenouillait, les hommes se découvraient. Au moment où les porteurs du dais soulevèrent les brancards de velours rouge pour permettre au prêtre de gravir les marches du reposoir, l'officier de dragons se porta en avant et mit sabre au clair. D'un même mouvement, les cavaliers firent tournoyer trois fois leurs trompettes et sonnèrent.

Le cœur de Fanny battait la chamade. Ses oreilles bourdonnaient et ses mains étaient moites. Oserait-elle ? C'était sûrement un péché grave, peut-être un sacrilège ? Camille lui jeta un regard sournois et murmura : « Capone ! »

Le prêtre, maintenant, faisait face à la foule, levait à deux mains l'ostensoir, commençait à tracer lentement sur le fond

12 *monstrance*

bleu du ciel, dans l'air chargé d'odeurs de fleurs le signe de la croix. Toutes les têtes se courbaient.

Fanny serra les lèvres et, rejetant en arrière le voile de tulle blanc qui tombait sur son front, elle resta debout, tête haute, à fixer l'ostensoir. Sa peur avait disparu. Un sentiment d'exaltation la soulevait. Elle dominait la ville courbée sous elle, elle l'écrasait. Elle n'était plus cette Fanny au teint d'olive, aux yeux trop grands, dont on disait en riant : « Elle est aussi maigre que sa dot ! », Fanny la « sans parents » que l'oncle Cyprien Morange élevait par charité. Elle ne finirait pas ses jours institutrice, comme on le disait, et vieille fille ! Elle leur montrerait ce qu'elle était réellement... Elle aurait des diamants comme sur l'ostensoir et des chevaux aussi beaux que...

Immobile sur son alezan doré aux trois balzanes blanches, l'officier de dragons se tenait toujours, tête droite, sabre au clair. Il regardait Fanny.

Elle rougit mais ne baissa pas la tête. L'officier eut alors un sourire amusé et Fanny, de colère, détourna les yeux.

Un peu à l'écart de la foule, adossé à un des draps piqués de fleurs qui masquaient les façades, un homme, au même instant, regardait lui aussi le balcon et Fanny et il y avait une grande tendresse dans ses yeux.

C'était Flavien, le plus jeune des fils Morange. Il avait vingt-deux ans et il ne ressemblait ni à Cyprien ni à Théodore, debout sur le balcon, à côté de leurs femmes, Blanche et Lydia. Flavien eut un petit sourire moqueur : ils ne pouvaient pas voir, eux, ce que lui voyait : Lydia regardait, entre ses cils baissés, l'officier de dragons et Blanche... son cheval ! Exactement ce qu'il avait toujours pensé !

Dans le jardin clos de hauts murs couverts de lierre, la chaleur du jour semblait s'être concentrée. Le parfum du seringa s'exacerbait. La nuit était tiède, sans transparence et sans vent. On distinguait à peine, dans l'obscurité, les bordures de buis et Blanche se dirigea à tâtons vers la charmille. Elle était certaine d'y trouver son beau-frère Flavien.

En l'entendant, il se leva et elle s'assit sur le banc de pierre :

— On étouffe à l'intérieur de la maison !

Il ne répondit pas.

— Pourquoi as-tu parlé, au dîner, avec tant d'insistance du cheval de cet officier ?

— Parce que tu le regardais pendant la procession avec une sorte d'avidité. Pourquoi ne montes-tu plus, toi qui aimais tant ça ? Pour te mortifier ?

Il eut un petit rire.

— Ne parle pas de ce que tu ignores et qui me regarde seule ! Cet officier, c'est un nouveau venu ? Nous ne l'avons encore rencontré nulle part !

— Sois tranquille, fit avec ironie Flavien. Le colonel de Saint-Fargeau vous l'amènera, ne fût-ce que parce que Lydia le lui demandera !

Elle n'écoutait pas. Elle revoyait l'alezan aux balzanes blanches. Elle eût aimé, c'est vrai, prendre sa mesure dans un de ces galops solitaires qu'elle avait affectionnés. A travers la campagne endormie, à l'aube, quand le ciel est encore blanc, que l'air met aux dents le goût de réséda des vrilles de la vigne... Depuis six mois, elle ne montait plus et son entourage ne comprenait pas. Ni son mari, bien entendu — pauvre Cyprien comprendrait-il jamais rien à rien ? — ni son directeur de conscience qui avait blâmé discrètement ce qu'il estimait une décision outrancière — le côté excessif de Blanche l'effrayait ! Elle n'avait pas cru bon de lui donner la vraie raison ! Seul, peut-être, son père, le vieux Jérôme Eymen, s'était méfié mais il se taisait.

— Je déteste cette odeur de seringa, dit Blanche. Elle est... elle est animale.

Il y eut un nouveau silence.

— Pourquoi as-tu puni Fanny aussi sévèrement de ce qui n'était qu'un enfantillage ?

— Parce que, pour toi, oser parier sur des choses saintes, sacrées pour les profaner, c'est un enfantillage.

— Exactement. Et tu le sais très bien. Mais tu as été trop heureuse d'écouter les ragots de ta fille et de priver Fanny non seulement du bal d'après-demain mais de toute sortie jusque-là ! Enfermée dans sa chambre ! Elle n'a plus cinq ans !

— Je n'ai pas besoin de tes conseils en matière d'éducation. Et d'abord, qui t'a mis au courant ?

— Elle.

— Où l'as-tu vue ? Elle est enfermée dans sa chambre ?

— Tu oublies que son balcon est contigu au mien.

— Jolie tenue ! Et tu encourages toutes ses révoltes ! Mais moi, je la briserai, il faudra bien que je la brise pour la sauver d'elle-même ! Le chemin du salut est âpre et rude.

— Tu trouves sans doute qu'elle a connu trop de joies jusqu'ici ? Des parents morts à sa naissance, pas de fortune, peu de beauté...

— Elle n'est pas si laide !

La voix de Blanche était tendue, soudain.

— Non, fit d'un ton ironique Flavien. Pas si laide en tout cas qu'on s'évertue à le répéter, à le lui répéter... Pour lui apprendre l'humilité ?

Blanche haussa les épaules, reprit sur un autre ton :

— Pourquoi ne te décides-tu pas à aller à Paris poursuivre tes études de piano ? Tu gaspilles un don certain !

— Je gaspille ! Quelle faute impardonnable ! Je ne te ressemble pas, Blanche. J'aime l'odeur du seringa et les nuits de juin et l'harmonie des façades de Chapeau-Rouge si doucement galbées, et quand je remonte la grande allée, au début de l'été, lorsque les tilleuls font une ombre verte, que les rosiers des quatre saisons sont en fleurs, c'est une musique de Schumann et toute la beauté du monde est là, sous ma main. Pourquoi irais-je la chercher ailleurs ? Je n'ai aucune envie d'aller à Paris ni d'être un pianiste célèbre.

— Ni de travailler, bien entendu, avec tes frères à la maison de vins ? Chapeau-Rouge ! La maison est belle, je te l'accorde, et vous autres Morange y êtes nés, alors cela suffit ! Mais les vignes ne valent rien dans cette terre de paluds trop inondée l'hiver, et de quoi vivras-tu ?

— Tout le monde, ma chère Blanche, ne peut avoir la fortune de ton père ! L'oncle Jérôme est, de plus, un père généreux. Après tout, tu es sa seule fille. Ce que je n'ai jamais compris, c'est ce que tu avais bien pu trouver d'admirable chez Cyprien ! Tu le connaissais tout de même depuis l'enfance et nous sommes cousins germains...

— N'essaie pas de détourner la conversation parce qu'elle te gêne. Moi je te dis que Chapeau-Rouge n'est qu'un commode paravent à tes rêvasseries. Tout te sert de prétexte, même tes sentiments républicains ! Oui, tu es un chef actif, oui, quand un proscrit veut rentrer en fraude ou un exilé de Londres, quand un républicain est recherché par la police impériale, tu l'héberges ou tu le caches et tu le fais filer sur un brick anglais ou norvégien avec la complicité de Théodore, à la barbe de Cyprien qui ne sait rien — et ça vaut d'ailleurs autant ! Mais même ça, qui demande du courage, je ne le nie pas, tu le fais en dilettante !

— Peut-être, mais je le fais ! Et j'ai l'intention de continuer !

— Alors, sois un peu plus prudent. Les bordiers ont des yeux à Chapeau-Rouge et Gabarot fait un peu trop le mystérieux quand il a bu. Ça frappe les gens. Ils en parlent !

— Gabarot est notre régisseur depuis qu'il a vingt ans et sa fidélité...

— Et qui met en cause sa fidélité ? fit avec impatience Blanche. Empêche-le de boire, c'est tout, et de trop parler ! A ta place, je me fierais davantage à Manuau. Il a plus de finesse.

— Parce qu'il soigne tes chevaux et les monte ?

— Non, dit d'un ton sec Blanche, parce qu'il les comprend et les aime. Ris-en si tu veux !

— Je n'ai pas voulu te blesser.

— Mais tu l'as fait quand même !

— Lydia aussi est au courant de mes activités républicaines ?

— Lydia ! Rien ne l'intéresse que d'avoir une cour de fats et de jolis cœurs et de faire des mines avec cet imbécile de Saint-Fargeau !

— Tu n'es pas tendre ! Elle s'ennuie et Théodore ne fait rien pour...

— Théodore n'aurait jamais dû se marier, jamais dû quitter la marine. C'était la seule vie qu'il aimait et qui lui convenait !

— Personne ne l'a contraint à ramener du Mexique cette jolie femme que toute la ville lui envie !

17

— Comme tu es jeune ! Elle voulait venir en France à n'importe quel prix. Théodore lui en donnait l'occasion. Elle l'a pris au piège. C'est tout. Maintenant elle découvre que la vie en France n'était pas ce dont elle rêvait à Mexico ! La belle affaire ! Ce genre de découverte, tout le monde la fait un jour, tu sais !

— Oui, dit Flavien. Et chacun réagit alors à sa manière. Tout le monde ne peut pas s'intéresser brusquement à la république...

— Je me moque de la république, elle ne m'intéresse pas du tout ! C'est ton imprudence qui m'inquiète.

Flavien eut un rire assez insolent :

— En somme, tu veux bien que je parte pour Paris mais pas pour Nouméa ? C'est ça ? Mais, Blanche, où serait le mérite si le jeu était sans danger ?

— Le jeu ! Comme un enfant que fascinent les allumettes !

— Ma chère Blanche, les allumettes fascinent tout le monde. Il n'y a que les incendies dont on rêve qui diffèrent...

— C'est possible, dit Blanche sèchement.

Il s'éloigna, revint sur ses pas :

— A propos, le cheval de cet officier s'appelle Roméo. Bonsoir, Blanche.

II

Il avait plu toute la journée. Une de ces pluies d'été, lentes, tièdes, qu'amenaient les vents d'ouest. Rien de commun avec les brèves averses crépitantes nées des orages. Non. Ces pluies-là s'installaient, tranquilles, et coulaient tout le jour d'un ciel bas, clos sur lui-même. Il n'y avait plus d'autre horizon que ces zébrures luisantes sur le vert redevenu frais des arbres et des herbes.

Et Fanny, qui avait supporté la claustration dans sa chambre relativement bien tant qu'il avait fait cette chaleur écrasante qui ployait en brûlant, avait senti renaître sa révolte quand la pluie avait commencé.

Elle aimait la pluie non pour la regarder au travers d'une vitre mais pour la sentir rouler sur son visage, son cou, ses mains. Elle en éprouvait un bien-être et pensait que l'eau de la mer, qu'elle n'avait jamais vue, devait procurer, lorsqu'on s'y baignait, la même sensation de netteté, de fraîcheur.

Cela ne ressemblait en rien au bain que l'on prenait, une fois par mois, vêtue de sa chemise, dans une grande cuve de bois — la baille — emplie d'eau chauffée sur le feu, et le mélange des odeurs — vieux bois, fumée et jasmin de la savonnette — lui soulevait également le cœur.

L'eau de pluie, elle, sentait bon le buis, le lierre, la feuille de laurier.

Et elle était enfermée dans cette chambre !

Les préparatifs du bal qui mettaient la maison sens dessus dessous, elle les percevait et les dédaignait ! Privée de bal, qu'était-ce ? Qu'attendre d'agréable de ces soirées, sortes de ronciers où tout égratignait ? La laideur des toilettes que Blanche lui imposait sous couvert de mise « modeste » convenant à sa position d'orpheline sans dot, un carnet de bal presque toujours vide, et si par hasard un cavalier s'inscrivait, c'était immanquablement quelque parent pauvre invité par grâce — double peu flatteur ramenant à une impitoyable réalité. Elle préférait encore ne pas danser !

Ou alors... danser ailleurs... danser en liberté... près des feux de Saint-Jean, par exemple, qu'on allumerait ce soir dans les quartiers. Mais ils étaient réservés à ceux que les Morange appelaient « eux » en opposition avec « nous ».

Et Fanny avait parfois envie de crier : « Mais moi, où suis-je ? » Rejetée, en porte à faux constant entre deux adverbes, trop pour ici et pas assez pour là... Alors où ?

Une sorte de vide qui donnait le vertige comme sur les quais, quand on se penchait et qu'on se disait : si je tombe je n'aurai rien où m'accrocher : de l'eau...

Depuis trois jours qu'elle était enfermée, elle remâchait ces pensées, plus amères parce que plus injustes, à ses yeux, qu'une punition temporaire qu'elle estimait, après tout, avoir assez bien méritée !

Tout le monde était si occupé que c'était Maria Coste, la lingère, qui lui avait apporté tout à l'heure son dîner et elle s'était assise sans plus de façons sur un coin du lit, hochant la tête :

— Praube, praube... Vous voulez que je vous le dise, moi, ce qui se passe en bas ?

Une tentative aimable que Fanny avait rageusement repoussée : elle ne voulait pas de miettes !

— Je le sais par cœur ! Laisse-moi !

Les petits yeux durs de Maria Coste luisaient :

— Ah, vous êtes bien le portrait craché de votre pauvre grand-mère Balguière ! Celle-là, même l'enfer et ses diables n'ont pas dû en avoir raison !

L'agacement, alors, devenait colère. Ce fantôme d'aïeule qu'on lui promenait sous le nez, à chaque révolte, à chaque incartade, avec de petits soupirs, des hochements de tête, des coups d'œil entendus — et jamais rien de précis qu'on le laisse donc lui aussi en paix ! Et qu'on la laisse, elle, rêver sur des bribes de phrases, sur le seul portrait pendu, face au lit, dans la chambre de l'oncle Jérôme Eymen, dans sa grande maison des quais. Étonnante Laure avec ses boucles rousses comme des flammèches encadrant le visage, son turban d'odalisque et sa gorge indécente, très dévoilée, très haute, à la mode du premier Empire.

Fanny avait scruté plus d'une fois, longuement, les yeux durs, la bouche impérieuse, ces traits qui lui semblaient ceux d'une femme mûre et pas du tout semblables aux siens !

Pourquoi s'acharnait-on à vouloir trouver des similitudes ? Et pourquoi ce portrait, le seul, était-il placé dans la chambre de Jérôme Eymen ?

Elle avait vainement interrogé Maria Coste. Visage fermé, bouche cousue et cette lueur dans les yeux qui indignait Fanny comme une malséance. Après un silence, une demi-phrase qui n'expliquait rien : ils étaient cousins...

S'ils ne voulaient rien dire, alors qu'ils se taisent totalement ! Que traîne sur d'autres la bave des demi-sourires ! Le visage de Laure Balguière, elle le voulait intact, à elle. Laure... laurier... un arbre dru qui sentait l'aube de Pâques, le printemps des rameaux...

— Remporte ce plateau, je n'ai pas faim !

— Vingt jours sous un douil, allez et vous mangeriez ! Vous vous trouvez peut-être trop grasse ? Mieux vaut faire envie que pitié, et on ne sait jamais de quoi demain sera fait !

Le mutisme de Fanny avait enfin raison de ce moulin à sentences et Maria Coste repartait en refermant la porte à double tour de clef.

Restaient toutes ces heures à passer avant que ne tombe la nuit. On était le jour le plus long de l'année, celui de la Saint-Jean d'été...

Un peu plus tard, l'oncle Théodore vint la voir. Il était déjà en habit et sa barbe blonde qui lui donnait un air de capitaine norvégien sentait l'eau de Lubin. Il posa sur Fanny son regard direct qui mettait si souvent ses interlocuteurs mal à l'aise :

— Manquer ce bal te pèse beaucoup, petite ?

— Non.

C'était dit sans bravade, avec une pointe de tristesse. Le regard de Théodore encourageait à parler. Pourtant Fanny se tut : Théodore l'intimidait. Peut-être parce qu'il était un homme de silence, connaissant de ce fait le juste poids des mots, elle n'osait, avec lui, se servir d'aucun... Il continuait à l'observer :

— N'use pas ta révolte en gestes enfantins. Réserve-la pour l'essentiel.

Elle baissa les yeux. Lorsqu'elle les releva, il était parti. C'était étrange de l'avoir entendu parler de révolte ! Chez les Morange, il n'y avait guère que Flavien pour user de ce mot sans lui donner un sens péjoratif annonciateur de réprimandes ! Mais Flavien n'était-il pas le seul des Morange qu'elle pouvait prétendre connaître un peu ? Il était le plus proche d'elle par l'âge, le seul qu'elle tutoyait, qu'elle appelait par son prénom sans le faire précéder de « l'oncle » rituel — bien qu'en fait ni Cyprien, ni Théodore, ni même le vieux Jérôme Eymen ne soient ses oncles, de simples cousins, par

22

cette grand-mère Balguière à qui l'on prétendait qu'elle ressemblait.

Avait-elle été révoltée, Laure Balguière, qui avait l'air deux fois morte, emmurée de silence ?

Le crépuscule s'étirait comme entre le pouce et l'index, la laine que l'on file : un écheveau gris de pluie.

Le jour baissait insensiblement. Elle alluma la lampe, écarta les tentures, ouvrit en grand la porte-fenêtre, pencha sur le balcon sa tête, ses bras nus, ses épaules minces, et les tendit à la pluie tout en lorgnant le balcon d'à côté sur lequel ouvrait la chambre de Flavien. Inutile de risquer le scandale de l'appeler : Maria Coste avait dit qu'il était parti à Chapeau-Rouge régler une affaire de foins. Et il n'était pas rentré : aucune lumière ne filtrait. Sa porte-fenêtre entrouverte battait un peu. Il allait être en retard pour le bal ! Elle sourit : les perpétuels retards de Flavien agaçaient beaucoup tante Blanche !

Déjà les premiers attelages s'arrêtaient dans la cour, devant le perron. Fanny ne pouvait les voir : sa chambre et celle de Flavien donnaient sur une arrière-cour où n'ouvraient que la buanderie et la resserre à bois. Un escalier intérieur, raide comme une échelle, y menait. Ce soir, c'était désert.

C'est alors que l'idée lui vint : elle mesura du regard l'espace étroit qui séparait les deux balcons. En retroussant ses jupes, en faisant attention de ne pas glisser, enjamber devait être possible ! Il fallait que cela serve d'avoir été des années durant un garçon manqué qui escaladait en cachette les arbres et montait à cru les poneys !

Elle accrocha à son cou — comme un défi et un symbole ! — le collier de topazes offert par Flavien, mit un châle aux tons roux d'indienne sur son bras. Deux minutes plus tard elle était dans la chambre de Flavien, se glissait dans le corridor, dans l'arrière-cour, dans la rue, et marchait vers le feu de Saint-Jean qu'on allumait tous les ans sur les quais.

* * *

La cabane sentait le goudron qui avait dû servir à colmater les planches et l'odeur un peu âcre, comme poussiéreuse des tresses de chanvre qui s'entassaient dans un angle. Des odeurs de bateau, en somme, et avec cette pluie qui battait le toit comme une houle et tombait au-dehors fluide comme la mer, l'homme qui attendait, assis sur la paillasse, pouvait s'imaginer être déjà caché dans la cale d'un voilier. Sauf le sifflement du vent, bien sûr, et le choc sourd des lames...

Combien de fois avait-il fait des voyages de ce genre depuis décembre 1851, depuis le coup d'État qui avait, en une nuit et trois décrets, substitué l'Empire, le second Empire à la république ? Officiellement il résidait à Londres. Exilé. Et cela valait mieux que les bagnes de Nouméa ou les camps d'Algérie infestés de moustiques et de malaria. Encore que le brouillard de Londres, les cancrelats et les punaises qui pullulaient dans son logement misérable, presque un taudis, au ras de la Tamise et de son humidité malsaine hiver comme été, et ces feux de tourbe ou de houille qui encrassaient les poumons sans vraiment réchauffer, non, à cela, jamais il ne se ferait !

Il préférait encore les missions en France, avec leurs dangers, douze balles dans la peau cette fois, si les argousins du Badinguet le prenaient ! Oui, il préférait ces galops de rat d'une cache à l'autre, agir toujours la nuit et le jour se cacher, ce perpétuel qui-vive, sans cesse aux aguets, à l'affût. Il avait des nerfs solides. Il le fallait.

Son carrick était trempé, ses bottes prenaient l'eau et cette pluie maudite qui le poursuivait depuis Paris. Est-ce qu'il devrait pleuvoir de la sorte en été ?

Il regarda l'heure à sa montre, un gros oignon d'argent auquel il tenait parce que c'était Simon qui le lui avait donné, rue Rambuteau, la dernière nuit du soulèvement de décembre 51. Bientôt dix ans.

Il pleuvait comme aujourd'hui et on avait du mal à préserver la poudre. En plus il faisait froid, ce froid humide de décembre quand la pluie qui tombe ressemble à de la neige fondue. Avant de mourir, en lui donnant la montre, Simon avait dit : « Toi, jeune, tu leur échapperas, je te fais confiance ! » Y avait-il eu un soupçon de dédain dans sa voix ? L'avait-il rêvé ? A l'époque, il était encore ombrageux de tout, écorché vif. Il eût aimé que Simon dise : « Continue la lutte, toi qui es des nôtres. » Il ne l'avait pas dit.

Simon avait-il soupçonné la vérité sous les mensonges qu'il avait crus pourtant habilement forgés ? Ceux de Londres la soupçonnaient-ils ? Depuis dix ans, il partageait leur misérable vie d'exilés pauvres, acceptait les missions les plus dangereuses, les provoquait et cet excès même d'ardeur, au fond, le trahissait. Quand cesserait-il de se sentir en marge ?

Il remit l'oignon dans sa poche. Il avait hâte d'être dans la cale du brick anglais. Ce garçon, Flavien, ne lui inspirait qu'à demi confiance : trop jeune, trop exalté. Comment se comporterait-il face au coup dur qui toujours vous tombait dessus impromptu ? Il y avait cent à parier qu'il craquerait !

Il secoua les pans de son carrick mouillé : jamais il ne se ferait à l'humidité, à ce gris !

Il avait pourtant été façonné par une terre pétrie d'eau qui semblait être un prolongement de la mer, mais le soleil et le

25

vent la brûlaient, et le sel qui, au bord des marais, blanchissait ses cristaux comme des ossements. La lumière d'été y fulgurait sur les salicornes et les roselières... Une terre sauvage et pauvre, monotone et plate, mais qui faisait rêver d'illimité. Il avait détesté la verte luxuriance de la campagne d'Aix et le jeu des fontaines à l'ombre des platanes, auprès de beaux hôtels aux grâces mesurées. Il y étouffait.

Un roulement lointain le fit sursauter, poser la main sur les pistolets accrochés au baudrier de cuir sous le carrick. Il s'immobilisa. Le roulement s'amplifiait. Il haussa les épaules : il n'était pas encore habitué à ce bruit des chemins de fer. Un train devait rouler sur le viaduc tout neuf construit sur les marais, non loin de la cabane. Du coup les grenouilles s'étaient arrêtées de coasser. Aussi peu habituées que lui au progrès !

Derrière la porte de la cabane, une voix chuchota : « Liberté. » Ce Flavien, enfin, arrivait ! Il ignorait son nom de famille. C'était un principe chez lui. Au cas où il serait arrêté. D'ailleurs, que représentait un nom de famille ? Une vanité souvent et parfois un mensonge...

Avant de partir, parce que ça l'intriguait ces nattes de chanvre, il demanda :

— Qui habitait là avant ?

— Personne, dit Flavien. C'était l'appentis d'un cordier. Un vieux qui tissait sa corde dans le chemin creux, là-devant. Il ne pouvait pas lutter avec les fabriques. Quand il est mort, personne n'a voulu prendre sa suite. Le coin est isolé, humide. Alors, comme ça fait partie de la propriété, j'ai pensé à l'utiliser.

— Oui, dit l'homme en se mettant en selle. La cache est bonne. Mais il doit bien y avoir quelques chasseurs qui y viennent ?

— Le bruit du train a chassé les oiseaux du marais et la cabane est dans un trou au milieu des sureaux. Même en montant sur le viaduc, je vous défie de la trouver !

La voix de Flavien était véhémente.

— Bon, bon. Ce que j'en disais, c'était pour vous. Ce serait un sale coup si vous étiez pris !

— Un sale coup aussi pour tous les nôtres et pour la république !

— Oh, vous savez, dit l'homme de sa voix railleuse dont il accentuait l'accent traînant lorsqu'il voulait agacer les gens, la république en a vu d'autres ! Depuis le temps !

Flavien se tut, froissé. Cet envoyé de Londres ne lui était pas exagérément sympathique. Un rustre qui ne desserrait les dents que pour se méfier ou ironiser. Comment croire qu'il était ce que racontait sa légende ? On avait dû exagérer !

* * *

« Y avait Jeanne et puis Suzon — Tournez, virez, mademoiselle — Madeleine et la Fanchon — Tourne, vire, mon garçon... »

La farandole s'était nouée autour du feu qui avait fini par prendre, à grand renfort de paille sèche, et les sabots claquaient en cadence sur les pavés du quai au sel.

Les fagots de sarments s'embrasaient d'un coup et s'effondraient presque aussi vite dans de grands jets de flammes claires, des crépitements d'étincelles qui faisaient, entre deux rires, s'exclamer les gens : « Oh ! ah ! attention, gueyte, gueyte ! » Les planches, douelles de barriques, restes de tonneaux, brûlaient plus lentement, frisées de lueurs bleues qui sentaient le vin cuit.

La fumée montait, droite comme les vergues des bateaux, mâts de misaine, cacatois, que l'on voyait surgir de l'ombre, par moments, par morceaux, ou bien des pans de coques selon le saut des flammes, leur coup de langue plus lent ou plus vif.

Un peu en retrait, près de la pente d'une estaque, Fanny regardait la farandole et, par-derrière, une amarre qui se balançait juste dans le rayon de lumière des flammes. Quand l'oncle Théodore naviguait encore et qu'il voyait une amarre semblable se détacher du bloc de pierre sur le quai, remonter lentement le long de la coque, éprouvait-il ce même bondissement du cœur qui, en ce moment, soulevait Fanny, la faisait exulter : la liberté ?

Et ces gens qu'elle voyait danser, ces filles en cheveux, ces garçons en casquette, auxquels elle n'osait pas se joindre, moins par peur d'attirer l'attention que par crainte de les étonner, représentaient eux aussi, à leur façon, la libération dont elle rêvait... naïvement. Sans rien savoir de leur vie ni des chaînes d'une autre sorte qui les liaient. Tout ce qu'elle pensait c'est qu'elle était obligée, elle, de se cacher, de se borner à rythmer la cadence du bout de son pied, alors qu'elle avait tellement envie de danser !

« Y avait Jeanne et puis Suzon — Tournez, virez, mademoiselle... »

Un fagot s'embrasa et pendant un instant la flamme éclaira Fanny, la fit étincelante comme un cuivre, du roux du châle aux coulées des cheveux et l'éclat brûlé des topazes rejoignait celui de ses yeux.

« ... Madeleine et la Fanchon, tourne, vire, mon... »

Une ombre passa devant elle, une main saisit la sienne, l'entraîna vers la farandole. Elle jeta un regard amusé sur le cavalier inattendu que la Saint-Jean venait de lui donner et son sourire se figea : ce n'était pas possible, ce n'était pas vrai ! Comment était-il là ? Comment ne pas reconnaître ses yeux presque trop clairs, sa moustache blonde, le retroussé moqueur de ses lèvres ?

Il disait en riant :

— Accrochez bien votre châle. J'ai toujours adoré mener les farandoles comme une charge !

Non, le doute n'était plus possible, c'était bien l'officier de la procession, celui qui avait un si beau cheval ! Elle hésita une seconde. Elle pouvait encore refuser, détacher sa main, s'en aller. C'était cela aussi la liberté.

Elle se contenta de relever la tête, d'un coup sec, à la Laure Balguière, en pensant avec mépris que sa cousine Camille devait être en train de valser sagement, couronnée de myosotis, son carnet de bal au poignet, sous le grand lustre de Venise. Elle appartenait, elle, à une autre race et allait le montrer !

Le cercle de la farandole s'ouvrit sur eux et se ferma. « A la Saint-Jean d'été, ma belle, ma belle, à la Saint-Jean d'été, nous irons danser… »

Les topazes brûlées sautaient en cadence autour de son cou. Ses doigts minces avaient la peau douce et l'officier de dragons était de plus en plus intrigué : qui pouvait bien être cette étrange fille qui avait la peau dorée, la hardiesse et la grâce d'une gitane ?

Il l'avait observée pendant un bon moment mais pas une seconde l'idée ne l'avait effleuré que ce puisse être le petit corbeau couronné de roses blanches qu'il avait vu, perché sur un balcon, le jour de la procession ! S'en souvenait-il même ?

Ils avaient laissé leurs montures dans l'aubarède, à Gabarot qui les guettait, et ils avançaient à présent à pied, le long de la rivière, sur ce qui était à peine un sentier où la boue l'emportait sur l'herbe. C'était la basse mer, là-bas, à l'estuaire, et il y avait un large banc de vase entre la berge et le fleuve. La pluie avait cessé et l'on apercevait entre les peupliers et les ormes les flammes des feux de Saint-Jean, de l'autre côté de l'eau, près de la ville.

— Je n'aime pas ça, dit l'envoyé de Londres, ça éclaire trop.

— Nous ne nous cacherons pas, dit Flavien. Regardez ce va-et-vient de barques. Tous les riverains traversent pour aller danser autour des feux. Le pont, ils ne le passent guère. A cause de l'octroi. Qui nous remarquera ? La foule couvre mieux que tout !

— Ou elle isole !

Flavien se mordit les lèvres pour ne pas riposter. Cet homme, si déplaisant qu'il soit, était son hôte, en quelque sorte, et il se devait d'être courtois.

— C'est ici, dit-il. Cette barque au bout du ponton. Le ponton à cause de la vase à basse mer.

— J'avais compris ! Là-dessus nous ferons une belle cible et si nous tombons, enlisés !

— Il n'y a pas de lune, les feux sont loin et j'ai posté là mon meilleur homme de guet. Il nous passera à la godille.

Ils montèrent dans la barque sans encombre.

— Vous voyez bien, dit Flavien...

L'envoyé de Londres ne répondit pas. Tassé dans la barque, son chapeau enfoncé très avant sur le front, il avait l'air d'un animal tapi prêt à bondir.

La barque avançait. A la proue un falot éclairait un rond d'eau. Tout le reste de la rivière était sombre. Ils avaient atteint le milieu lorsqu'une embarcation surgit, par le travers. Une voix les héla :

— Oh, de la barque ! Approchez-vous !

— Les gabelous, murmura Flavien. Approche-toi, Félix.

Il entendit l'envoyé de Londres qui armait les chiens de ses pistolets. Une lanterne leur balança son faisceau lumineux au visage.

— Ah, c'est toi, Manuau ? fit une autre voix.

— Tu le vois bien ! Je passe M. Morange et un de ses amis. Ils sont déjà bien en retard. Ils vont au bal.

La lanterne s'arrêta sur Flavien qui souriait :

— Alors, dit-il d'un ton amusé, tu m'as pris pour un gabarrier qui fraude, Cadet ?

— Excusez, monsieur Flavien ! On avait des ordres. On pouvait pas savoir que c'était vous !

— Des ordres ? A quel sujet ?

— Oh, les autorités qui font des nœuds, des embrouilles ! Paraîtrait qu'un homme, tout ce qu'il y a de dangereux, doit passer l'eau cette nuit. Alors, nous, on surveille. Pardi, on aimerait mieux aller comme vous danser, même que ce soye pas dans la même société !

— Eh, dit Flavien, la société est toujours bonne, va, quand il s'agit de s'amuser, pas vrai ? Mais, dis-moi, cet homme, vous a-t-on dit pourquoi il voulait traverser ?

— Y a des chances que c'est pour embarquer sur l'*Athys*, le brick anglais qui va partir à la marée ! Rien qu'à voir les gendarmes qu'ils sont autour, des fois qu'il nous échapperait (il eut un rire) d'en face, il s'échappera pas, allez !

La barque s'éloignait. Manuau se remit à godiller aussi calmement que si rien ne s'était passé.

— Accoste à la dernière estaque, dit Flavien. Elle ne doit pas être surveillée, elle est trop loin du brick.

L'envoyé de Londres se taisait. Il observait Flavien : plus de cran tout de même qu'il n'aurait cru.

La barque accosta. Manuau repartit.

— Venez, dit Flavien. Je vous emmène au seul endroit où cette nuit on ne vous cherchera pas car toutes les autorités de la ville y sont en train de danser : chez moi. Mes frères donnent un bal.

L'envoyé de Londres le suivit. Il avait un goût amer dans la bouche. La désinvolture de ce garçon, c'était peut-être une forme de courage mais qui frisait l'inconscience, et ce qui venait de les sauver ce soir, c'était ce qu'il détestait le plus : le respect instinctif des petites gens pour l'ordre social !

III

La farandole se disloquait. Les danseurs, haletants, reprenaient souffle. Fanny s'était écartée du feu, rajustait son châle, mal à l'aise soudain sous le regard persistant que posait sur elle l'officier. Comment, à présent, s'en défaire ? Elle dit d'un ton bref : « Bonsoir ! » et commença à s'éloigner. Pas assez vite. Il la rejoignait, marchait à côté d'elle :

— Minuit n'a pas sonné encore, Cendrillon... pour que vous quittiez si vite le bal ! Et où donc allez-vous comme ça, toute seule ?

Le rouge lui vint du cou aux tempes, d'une flambée. Il la prenait pour... pour... (le vocabulaire lui manquait) enfin pour une de ces filles qui traînent dans les rues et, en toute justice, il fallait bien admettre que les apparences lui donnaient raison !

Elle ne répondit pas, pressa le pas. Il se mit à rire, la prit par le bras :

— Allons, ma charmante, n'aie pas peur. Dis-moi plutôt comment tu t'appelles...

Le tutoiement la fit sursauter. Moitié honte et moitié colère. C'était donc ainsi qu'un homme du monde se conduisait envers une fille parce qu'elle était en cheveux, seule dans la rue, et n'appartenait pas à la bonne société ! Elle le repoussa avec violence :

— De quel droit me tutoyez-vous ? De quel droit me suivez-vous ? Je désire rentrer chez moi, seule.

L'OUEST, UN CAVALIER   3

Il eut un petit sifflement moqueur :

— Pardonnez-moi, ma chère, si je n'ai pas su voir la duchesse sous la bergère. Je ne nous savais pas au temps de carnaval !

Ils étaient presque au bout du quai. Un brick anglais était amarré là, prêt à partir dès le changement de courant. De ce fait, une animation inaccoutumée régnait.

Fanny pensa : c'est le moment d'en profiter. Si je me mets à courir, si je parviens à rejoindre la première rue, jamais il ne me rattrapera. Je connais sûrement mieux que lui toutes ces ruelles enchevêtrées !

Elle prépara son élan et allait bondir lorsqu'une lanterne soudain troua la nuit, se promena sous son nez et sous celui de l'officier.

Il dit sèchement :

— Que signifie ?

— Contrôle de police. Que faites-vous ici ? Près de ce brick ?

L'officier eut un rire assez insolent :

— L'*Athys* ? Oui, je suis au courant. L'homme, à ce que je vois, n'est pas encore pris ! Eh bien, meilleure chance ! (Et comme la lanterne continuait à les éclairer, il ajouta avec hauteur :) Vicomte Mathieu de Livran, lieutenant au 15e régiment de dragons.

La lanterne s'abaissa. Il y eut un murmure d'excuses et Mathieu de Livran, tenant fermement le bras de Fanny, tourna dans la première rue.

Il dit avec mépris :

— Quels imbéciles ! (Et à Fanny :) Eh bien, vous connaissez mon nom à présent. Donnant, donnant, quel est le vôtre ?

Elle s'efforçait de réfléchir, de trouver un biais.

— Je m'appelle Laure. Laissez-moi partir maintenant !

— Hé, là, ma belle, pas si vite !

Et lâchant son bras, il saisit sa taille, la fléchit et, rapprochant du sien son visage, il chercha ses lèvres. Des lèvres douces qu'entrouvrait la stupeur. Et tout en l'embrassant, il se demandait ce qu'elle pouvait bien être : des mains de femme qui ne travaille pas durement, un ton correct inhabituel, il hésitait entre demoiselle de magasin ou femme de chambre... Jeune, en tous cas, et très inexpérimentée !

Elle se débattait à présent, réussissait à se libérer. Il ne voulait pas de scandale mais dit nettement :

— Je veux vous revoir.

— C'est impossible, dit une petite voix assez chavirée qui amena un sourire sur ses lèvres.

— Pourquoi ?

— Nous... nous partons à la campagne, à la fin de la semaine.

— Une campagne si lointaine que je ne puisse vous y rejoindre ?

Visiblement elle hésitait et il eut recours à une manœuvre d'intimidation qui lui avait souvent réussi :

— Je remuerai toute la ville s'il le faut, mais je vous reverrai.

Elle finit par dire du bout des lèvres :

— Vous connaissez le viaduc neuf ?

— Bien sûr. On ne voit que lui lorsqu'on arrive de Bordeaux !

— Eh bien alors, vous verrez, sous la dernière arche passe un chemin qui se perd très vite dans le marais. Il y a là une cabane cachée par des sureaux. J'y vais parfois.

Un lieu de rendez-vous précis. La cabane, songea-t-il, avait dû déjà lui servir et cette fille était moins naïve, finalement, qu'elle ne le semblait ! Il préférait !

— J'y serai, chaque soir de la semaine prochaine, à partir de huit heures et je vous attendrai. Mais si au bout de la semaine vous n'êtes pas venue, je vous jure, ma belle, que vous le regretterez !

Il disparut si rapidement que Fanny en demeura interloquée. Puis elle poussa un soupir. Elle avait gagné une semaine de paix. Peut-être se lasserait-il d'ici là ?

Elle se remit en marche, lentement. Tout lui semblait soudain incohérent. Comment avait-elle pu livrer si facilement à un inconnu mal élevé le prénom de sa grand-mère préférée et l'emplacement de la cabane : le seul endroit où elle pouvait rêver en paix ! Elle avait honte, elle était en colère et elle préférait ne pas penser à ce baiser ni à ce qui risquait d'être le pire : le jour inévitable où, dans un salon, ils se rencontreraient !

* * *

Il suivait Flavien à travers des rues inconnues qui sentaient les feux de la Saint-Jean, à travers une petite cour déserte, grimpait un escalier raide comme une échelle, et il faillit sursauter quand des airs de danse, par bouffées, leur parvinrent sur le pas perdu où ils venaient de s'arrêter : il avait oublié le bal !

Il eut de nouveau ce pli railleur qui lui était si coutumier qu'une ride s'était formée au coin des lèvres, la seule. Il n'avait après tout que vingt-neuf ans, même s'il en paraissait souvent davantage parce qu'il était si grand, si carré, si lourd.

Dans la chambre de Flavien qu'éclairait une lampe allumée sur la cheminée, les rideaux de l'alcôve étaient ouverts : sur le lit, disposés avec soin, l'habit de soirée, la chemise à ruches, la cravate de soie blanche.

L'envoyé de Londres détourna les yeux.

Flavien enleva sa redingote, la jeta sur un fauteuil et commença à dénouer sa cravate :

— Excusez-moi mais je suis déjà très en retard pour ce bal et je dois me changer. Ne restez pas debout, asseyez-vous, voyons !

Le gilet, le pantalon, la chemise tombèrent sur le tapis. Flavien marcha dessus avec insouciance pour attraper sur le lit l'habit de soirée.

L'homme était demeuré debout et le regardait faire.

— Je me demande, dit Flavien, en s'efforçant de boutonner le plastron empesé, qui a pu nous trahir ! Le diable emporte cette chemise ! J'ai dit cent fois à Firmin que ces perles étaient trop grosses pour les boutonnières et je n'ai pas l'habitude de faire ça tout seul !

Le pli railleur s'accentua sur les lèvres de l'envoyé de Londres, mais il dit seulement :

— Qui savait que je devais embarquer sur l'Athys ?

— Les deux hommes que vous avez vus et mon frère Théodore qui a négocié votre embarquement clandestin avec le capitaine anglais. La trahison vient d'ailleurs ! Je vous demande pardon, mais auriez-vous l'obligeance de m'aider !

Flavien remarqua alors les mains longues aux doigts minces, de très belles mains, étonnantes, pensa-t-il, pour quelqu'un qui avait été... Au fait, qu'avait-il été avant de fuir à Londres ? Artisan ? Ouvrier ? Flavien réalisa que personne n'en parlait. On se bornait à dire « le neveu de Simon, le charron de la rue Roquépine ». Une figure de légende ce Simon : il avait bien dressé dix barricades en décembre 1851 rue Rambuteau, avant de recevoir sa ration de balles. Mais son neveu, nul n'avait jamais mentionné ce qu'il était. Flavien se sentit intrigué, demanda :

— Êtes-vous Parisien de naissance ?

Façon d'amorcer une question plus directe qu'il n'osait pas poser d'emblée — cet homme, au fond, l'intimidait et il eût juré qu'il lisait en lui comme en un livre ouvert ! C'était détestable et Flavien s'énervait, face à la glace, sans parvenir à nouer correctement sa cravate à trois pans de soie.

— Vous permettez, dit l'envoyé de Londres sans paraître remarquer la question demeurée en suspens.

Il fit avec adresse, en rien de temps, les coques voulues par la mode de 1861 et, reculant d'un pas, vérifia l'harmonie.

Puis il resta là, debout, large et haut dans son carrick mouillé trop lourd pour la saison, et le chapeau de castor usé qu'il n'avait pas enlevé laissait dans l'ombre son regard. On ne distinguait nettement que sa grande bouche dure.

— C'est parfait, dit Flavien. Merci.

Tout en vaporisant de vétiver ses revers d'habit il pensa que peu importait après tout le passé de cet homme. L'essentiel était de voir avec Théodore comment le faire filer d'ici et après chercher qui avait trahi. Il repensait à sa conversation avec Blanche et se promit d'interroger de façon serrée Gabarot. Lui seul avait pu parler mais où et à qui ?

Il allait quitter la chambre lorsqu'on entendit des pas rapides dans le couloir. Presque aussitôt on frappa à la porte. L'homme se jeta sur le lit et tira les rideaux.

— Entrez, dit Flavien.

Blanche parut :

— Ah, tu es là ! Mon Dieu, que j'ai eu peur ! J'ai cru que je ne parviendrais pas à donner le change depuis que le colonel de Saint-Fargeau m'a parlé de ce républicain qu'on traque cette nuit !

L'angoisse, en creusant légèrement ses traits, amenuisait

son visage d'ordinaire trop rond, lui rendait un air de jeunesse. Flavien sourit :

— Mais Blanche, voyons, calme-toi ! On croirait que tu ne connais pas Saint-Fargeau ! Il voit un républicain dans chaque ombre que découpe la lune ! Si je suis en retard, et je m'en excuse, c'est simplement parce qu'on m'a retenu à Chapeau-Rouge !

— Pour allumer sans doute le feu de la Saint-Jean ?

Évidemment Blanche n'était pas dupe, ne pouvait l'être, mais il était bien obligé de lui mentir s'il ne voulait pas que cet homme caché derrière les rideaux en train de les écouter, de peser chacun de leurs mots, la soupçonne. Il ne lui avait pas dit qu'elle était au courant !

— Ma chère Blanche, dit-il avec une douceur inhabituelle, tu connais les traditions de Chapeau-Rouge !

— Aussi bien que je te connais ! Pourquoi mens-tu ? Pour me rassurer ?

Une anxiété d'une autre sorte creusait à nouveau les traits de ce visage qui commençait à s'empâter. Les yeux de Blanche exprimaient une sorte de détresse et il se sentit affreusement gêné à l'idée que cet homme, derrière les rideaux, allait penser... Eh bien, qu'il pense ce qu'il voudrait pourvu qu'il ne soupçonne pas que Blanche était au courant de ses activités !

Il posa sa main sur le bras de Blanche, juste au-dessus du coude, là où s'arrêtait le gant de satin. Elle tressaillit mais ne bougea pas. Sa peau était douce comme devait l'être celle de ses épaules qui sortaient à demi du grand décolleté de sa robe de bal.

Il se pencha. Et tant pis si la carte qu'il jouait était biseautée ! Il n'avait guère que ce moyen de convaincre Blanche.

Elle ouvrit brusquement son éventail et déroba son épaule. Puis elle dit de sa voix redevenue calme :

— Tu as noué tout seul ta cravate ? Tu es en progrès !

Elle regardait avec amertume son visage soudain délivré et elle pensait : comme il est faible ! Il aurait suffi que je le veuille et il m'aurait embrassée. Alors qu'il n'éprouve aucun amour pour moi. Je le sais.

— Dépêche-toi. Tu es déjà assez en retard !

Il s'inclina et la suivit dans le corridor. Elle avait relevé sa traîne sur son bras et la guipure des volants alourdissait sa silhouette de même que les anglaises de son chignon alourdissaient sa nuque courte.

Parce qu'il passait à cet instant devant la chambre de Fanny, il évoqua la minceur de son cou, de son visage, de son corps de très jeune fille. Elle devait dormir. Ses cheveux sagement nattés de chaque côté de ses joues. Non. Elle était bien trop folle, trop hardie, trop fantasque, elle devait les dénouer et s'y enfouir comme dans sa fourrure un chat angora blottit son museau !

Blanche, qui commençait à descendre l'escalier, se retourna, le fixa sans tendresse en voyant la douceur qu'avait prise son regard :

— Il est onze heures et demie, Flavien. Si tu veux que l'on croie à ton feu de Saint-Jean, cesse de rêvasser et offre-moi ton bras, et n'oublie pas que ce soir il pleuvait. Chacun sait que le bois mouillé prend lentement !

Dans la chambre de Flavien, l'envoyé de Londres enleva avec un soupir son carrick, son chapeau, poussa toutes les portes. Rien qui ressemblât à une garde-robe ou à quelque coin noir où il eût pu se reposer en paix. Il hésita à fermer à clef la porte d'entrée de la chambre, jugea que cela paraîtrait bizarre si quelqu'un par mégarde la poussait, hésita même à

40

souffler la lampe, ne le fit pas mais plaça ses pistolets à ses côtés et tira à nouveau sur lui les rideaux de l'alcôve.

Qui pouvait être cette Blanche dont la voix trahissait des sentiments bien opposés ? Amoureuse vraisemblablement de ce joli garçon qui avait un teint, des cils, une minceur de fille ! Il lui rappelait ses frères, Louis-Régis, François-Honoré. Eux aussi avaient cette fragilité des fins de race.

Lui était bâti à l'inverse et il avait longtemps cru — naïvement, orgueilleusement — qu'il tenait sa force, ses nerfs solides, sa large carrure, son menton dur et ses méplats trop accusés de ce lointain ancêtre qu'on appelait avec une dignité pharisaïque « l'amiral »… Un beau pirate en vérité qui avait coursé les Barbaresques moins pour servir le roi que pour emplir sa bourse ! Et il avait fini général des galères, marquis par-dessus le marché !

Et lui s'était enorgueilli, pendant dix-huit ans ou presque, de porter les mêmes prénoms : Claude-Henri.

Il eut son premier rire et l'on ne pouvait pas dire qu'il fut gai… C'était si décevant de constater qu'il suffisait d'un rien, d'un plastron d'habit orné de perles, d'odeur de vétiver, d'une chambre élégante, d'une certaine voix de femme distinguée et sèche pour que les dix dernières années de sa vie disparaissent, comme happées au fond d'une trappe. Pour qu'à leur place surgissent de vieux souvenirs qu'il avait crus bien effacés.

Il agita avec impatience ses longues jambes gainées de bottes dont la boue maculait le couvre-lit et il pensait au guignol d'Aix-en-Provence où on le menait enfant. Dans une saynète, des marionnettes chantaient :

« Démolissons, démolissons la maison de saint Antoine, démolissons, démolissons saint Antoine et sa maison ! »

Ce qu'il avait rêvé de faire… Il referma d'un coup sec ses mains brunes, et il n'avait rien démoli du tout, sauf lui.

* * *

Elle avançait doucement dans le couloir. D'en bas lui parvenaient la rumeur des voix, les rires, un air de valse. Et elle n'avait plus envie de se moquer de Camille, de ses myosotis, de ses airs sages ! Plus elle réfléchissait à ce rendez-vous donné à l'officier, plus elle s'affolait. Qui pouvait lui venir en aide ?

Flavien peut-être ? Elle entra dans sa chambre, resta un moment adossée à la porte. Elle eut tout de même une ébauche de sourire à la vue du désordre qui régnait : il devait être joliment en retard pour le bal ! Elle ramassa machinalement la redingote tombée par terre, remarqua alors le chapeau de castor usagé. Jamais elle n'avait vu Flavien en porter de semblable, surtout en juin ! Puis elle vit le carrick usagé lui aussi et mouillé.

Elle regarda autour d'elle avec un peu d'anxiété : rideaux d'alcôve fermés masquant le lit, porte-fenêtre entrouverte ; le vent seul agitait faiblement les lourdes tentures damassées. Tout semblait normal.

Alors, que signifiaient ce chapeau, ce carrick ? Elle pensa soudain à la phrase moqueuse de l'officier sur le carnaval et ses déguisements. Se pouvait-il que Flavien coure les rues lui aussi, vêtu d'habits d'emprunt ? Et pour quoi faire ?

Elle s'était accoudée à la cheminée, face à la glace, et rougit : Flavien se conduisait-il avec des filles de rencontre comme l'officier l'avait fait ? Les embrassait-il de la même manière, les suivait-il, les harcelait-il pour obtenir un rendez-vous ?

Et après les baisers, que faisait-on ? Que faisaient, la nuit, dans leur chambre, Théodore et Lydia, Cyprien et Blanche ?

Mariés, quel sens précis avait ce mot ? Et amour ou amant ?

Face à la glace, elle suivit d'un doigt pensif le contour de ses lèvres, puis elle caressa les topazes autour de son cou en se demandant si elle aurait aimé que Flavien l'embrasse comme l'officier. Elle conclut que non avec une petite moue. Conclut également qu'il était impossible, décidément, de raconter à Flavien son aventure de ce soir ! Jamais elle n'oserait. Tant pis ! Elle se passerait d'aide. Inutile de rester là à traînasser dans cette chambre : se faire prendre n'arrangerait rien !

Elle réenjamba les balcons et rentra dans sa chambre. A peine avait-elle quitté celle de Flavien que les rideaux d'alcôve s'entrouvrirent — moins prudemment que l'instant d'avant lorsque Fanny leur tournait le dos ! L'envoyé de Londres eut un sourire amusé : étrange maison et curieuse fille !

Quand elle s'était regardée dans la glace, tout à l'heure, avec sa peau dorée, le chatoiement des mèches dans le rond de la lampe et ses yeux couleur des topazes de son collier, il avait cru revoir les jolies caraques de Camargue et l'écharde, toujours la même, s'était renfoncée dans la peau : vent et sel, soleil et roubines, roselières frangées de blanc comme étaient blanches les crinières des chevaux sauvages galopant en troupeaux le long de la mer...

Lorsque Flavien le rejoignit dans la chambre vers trois heures du matin, il somnolait, se dressa brusquement — réflexe d'homme souvent traqué.

— Je suis désolé, dit Flavien, mais il est pratiquement impossible de vous faire quitter la ville : toutes les routes sont gardées. Je n'avais encore jamais vu ça !

L'envoyé de Londres se taisait mais son air donnait à Flavien l'impression blessante que, quoi qu'il entreprenne, cet homme ne cesserait de le considérer comme un hanneton qui s'épuise maladroitement à voler !

Il dit plus sèchement :

— Aucun des hommes qui m'ont été confiés n'a jamais été pris jusqu'à présent, et tout à l'heure je vous ai sauvé. Alors, votre sécurité à venir, j'en fais mon affaire. Vous finirez la nuit ici et vous irez ensuite chez un de mes oncles qui vous cachera chez lui.

— Et pourquoi prendra-t-il ce risque ? Il est républicain ?

— Personne ne le sait au juste, mais moi je suis certain qu'il vous cachera parce que c'est un vieil aventurier qui a traîné ses guêtres un peu partout dans les îles, qui a eu une plantation en Louisiane et un ranch même, au temps où le Texas était encore mexicain ! Il s'appelle Jérôme Eymen et il est le père de ma belle-sœur Blanche. On se marie pas mal entre cousins dans nos familles !

L'envoyé de Londres hocha la tête :

— Jusqu'à quand devrai-je me terrer chez lui ?

— D'ordinaire je vous aurais dit : c'est une affaire de trois jours, mais cette fois... le déploiement de forces est tel !

— Bon. Eh bien, dormons. Ne vous préoccupez pas de moi. J'ai l'habitude de dormir par terre, mon carrick aussi.

Il le ramassa, commença à l'étendre sur un coin du tapis, près de la cheminée.

— Encore une question : qui donc habite la chambre à côté de la vôtre ?

Flavien le regarda avec étonnement :

— Une petite cousine, Fanny Balguière. Pourquoi ?

— J'ai entendu marcher. Elle n'était pas au bal ?

Flavien se mit à rire :

— Non. Elle était punie, enfermée dans sa chambre.

L'envoyé de Londres eut une grimace amusée : ainsi elle s'appelait Fanny, sa bohémienne, sa caraque... Et elle courait la nuit comme un petit chat de gouttière, et elle enjambait les balcons pendant que les honnêtes dames qui l'avaient punie la croyaient enfermée dans sa chambre et au lit...

Il ramena sur lui les pans de son carrick et il avait envie de rire — cela ne lui était pas arrivé depuis un bout de temps !

IV

Jérôme Eymen repoussa d'un geste agacé la main que Joseph, son vieux valet, lui tendait et sauta de son tilbury avec une aisance étonnante pour un homme de soixante-dix-huit ans. Malgré la forte chaleur de ce premier jour de juillet, son front était sec sous le panama à larges bords, et Joseph, qui transpirait depuis le matin en maudissant le vent du sud, regarda avec un soupir son maître grimper allégrement les marches du perron.

La maison semblait assoupie, tous volets clos sur l'ardeur du soleil, et Jérôme eut envie de les ouvrir avec violence : il détestait cette pénombre, cette torpeur où se figeait toute vie, de même qu'il ne pouvait souffrir de voir la mousse envahir le tronc des vieux arbres. Il repoussait non pas la mort, cette évidence, mais ses signes annonciateurs. Le déclin seul lui faisait peur.

Il monta plus lentement l'escalier intérieur, s'attardant à caresser des yeux la courbe douce de la rampe, les volutes des ferronneries, évocatrices des souples corps de femmes qu'il avait autrefois aimés.

Il eut un petit rire de moquerie à l'égard de lui-même et arrivé sur le palier, souffla un peu : ce garçon qu'il cachait dans sa maison des quais depuis une semaine lui plaisait et l'agaçait en même temps : il le faisait se sentir vieux ! Ni Cyprien, ni Théodore, ni même Flavien avec ses vingt-deux ans ne lui donnaient ce sentiment désagréable. Mais ce garçon caché là-haut, dans le petit bureau attenant à sa chambre où

Joseph seul avait le droit de pénétrer pour faire le ménage une fois par semaine et dont il portait toujours la clef sur lui, ce garçon étrange qui s'inventait un passé faux et mentait sur son nom, lui ressemblait par certains points comme votre ombre vous ressemble. Plus ou moins étirée, plus ou moins raccourcie, c'est votre silhouette projetée devant vous. Face à ce garçon, Jérôme se retrouvait, mais il avait conscience que l'ombre, à présent, c'était lui.

Aussi était-il à la fois attristé et soulagé de le voir partir.

Il entra dans sa chambre. Là du moins on avait respecté ses ordres et le soleil le fit ciller. Sur la rivière, la réverbération aveuglait. L'eau limoneuse, lente et grasse lui rappela celle de la première rivière qu'il avait remontée en barque, au Texas, quelque part du côté de Corpus Christi. La lumière frappait de plein fouet le portrait de Laure Balguière. Il resta immobile un instant à le regarder. Puis il secoua la tête, jeta son panama sur le lit et pénétra dans le petit bureau.

Il y régnait une chaleur de four qui exacerbait l'odeur des quais dont le pavé brûlant renvoyait dans la pièce une âcre senteur de brai surchauffé et de lie de vin. Assis dans un fauteuil, l'envoyé de Londres lisait. A la vue de Jérôme, il fit un geste pour se lever.

— Restez donc assis (il se pencha vers le livre). Cela vous intéresse ?

— Beaucoup.

— C'est un vieux livre mais je ne pense pas qu'on ait fait mieux depuis. Tout ce qui a trait aux chevaux sauvages y est minutieusement observé et décrit. Il m'a rendu de grands services et il m'arrive encore parfois de le feuilleter. Pour mémoire, comme l'on dit. A quoi d'autre me servirait-il ?

Il eut de nouveau ce petit rire de gorge qui ressemblait, l'âge aidant, à une toux, tira vers lui un fauteuil et s'assit :

— J'arrive de Bordeaux et l'affaire est réglée. Le capitaine du *Virginian* a accepté de vous prendre à son bord sans trop se faire prier. Les Américains ont ça de magnifique qu'avec eux le mot de liberté vous sert de « sésame, ouvre-toi » ! Son bateau appareille demain matin au jusant. Le vent du sud est favorable à la descente du fleuve et s'il se maintient, il sera après-demain vers quatre heures de l'après-midi en face du Verdon. C'est un petit village de pêcheurs au bout de l'estuaire. Le *Virginian* sera forcé de mouiller là toute la nuit pour attendre la marée et gagner la haute mer. Une barque de pêche vous conduira à son bord. Vous ne risquerez rien. Il y a beaucoup de pêcheurs la nuit dans le coin et peu de douaniers. On ne surveille et on ne fouille que les bateaux en partance pour l'Angleterre : ils savent que vous venez de Londres et, en bonne logique, vous devriez y retourner, n'est-ce pas ?

Sous le regard que lui lança Jérôme, l'envoyé de Londres se redressa :

— D'Amérique, je pourrai le faire !

— Bien entendu, mais vous ne le ferez pas ! (Et comme l'autre esquissait un geste de protestation :) Voulez-vous savoir l'impression que vous me donnez depuis une semaine que je vous observe ? Celle d'un homme qui s'est fourvoyé dans une impasse, oh, de très bonne foi et parce qu'il est fréquent, à dix-neuf ans surtout, de confondre fin et moyen. Vous avez cru vous battre pour la république et vous ne vous battiez que pour vous. Moins pour la liberté en général que pour votre propre libération, de qui, de quoi, je n'en sais rien, mais je n'ai pas l'impression de me tromper beaucoup, n'est-ce pas ?

L'envoyé de Londres caressait du doigt le traité relatif aux chevaux sauvages. Après un silence, il releva les yeux et dit :

— Je ne sais pas. Mais en quoi cela m'empêchera-t-il de retourner à Londres ?

— C'est curieux, dit Jérôme, comme on prend soi-même lentement conscience d'évidences qui sautent aux yeux d'un étranger ! Vous étouffez à Londres et il faut reconnaître qu'une chose est de dresser des barricades, dans un moment de révolte, et une autre de supporter le long combat souterrain, fastidieux, le quotidien misérable des exilés sans argent, en bout de ce tunnel, une petite espérance si falote qu'elle ressemble davantage à l'image du désespoir.

— Je l'ai supporté dix années !

Jérôme le regarda longuement :

— Oui. Et peut-être le supporteriez-vous encore si vous étiez vraiment le neveu de Simon, le charron de la rue Roquépine ! Apprenti tailleur d'ivoire... c'était assez bien trouvé. J'imagine (il lança un coup d'œil aux mains élégantes) qu'il vous fallait expliquer ça ! Ils vous ont cru à Londres ?

— En tout cas, ils ont fait semblant et il me fallait un nom.

Il parut hésiter à poursuivre et se tut.

— Il existe d'autres moyens pour un homme de se faire un nom qu'il ne doive qu'à lui ! Vous êtes fait pour l'aventure et c'est un mot superbe, l'aventure, un monde superbe aussi : celui de la liberté.

La voix de Jérôme s'était un peu cassée. Tassé dans le fauteuil, il paraissait maintenant largement son âge, et ses yeux mi-clos lui faisaient un visage décharné.

— J'ai gardé quelques relations à la Nouvelle-Orléans. Je pourrai vous donner des lettres de recommandation, et même si l'envie vous prenait de pousser plus à l'ouest, jusqu'au Texas, peut-être se souvient-on encore du ranch du Français — le mien, à une époque. Je vous expliquerai où il était.

— Le ranch du Français, répéta d'un ton rêveur l'envoyé de Londres. C'est un beau nom. Oui, je crois que j'aimerais y aller.

— Alors, gardez ce livre. Je vous en fais cadeau. A vous il peut servir. Plus à moi.

Et il quitta la pièce sans laisser à l'envoyé de Londres le temps de le remercier.

* * *

... Alors, il a dit... alors il a fait... et il était ci, et il était ça...

Fanny, exaspérée, regardait sa cousine qui depuis près d'une demi-heure n'arrêtait pas de lui parler du vicomte Mathieu de Livran ! d'en parler à sa manière sotte, pauvre Camille ! à petits coups de langue prudents comme elle eût léché un sorbet ! Elle avait elle-même l'air d'un sorbet à la fraise dans tout ce flot d'organdi rose. Une couleur que Fanny détestait.

Et elle devait se retenir pour ne pas crier au nez de cette innocente : « Un parfait homme du monde, vraiment, et tu crois ça ! Alors écoute-moi bien, je vais te dire. »

Mais justement on ne pouvait rien dire ! C'était même une chance inouïe que d'avoir aperçu à temps l'alezan dans la grande allée de Chapeau-Rouge où l'on était installé seulement de la veille. Fanny avait cru en périr de saisissement. Il venait déjà rendre une visite... Tante Lydia, bien sûr, avait dû harceler le colonel de Saint-Fargeau. Lui aussi remontait l'allée. Il venait présenter ce Livran de malheur ! Le colonel était comme envoûté par tante Lydia. Il aurait gobé des mouches et poussé un cerceau si elle le lui avait demandé avec ce sourire que Fanny détestait, le sourire même

51

de la fausseté. D'ordinaire les manœuvres de tante Lydia et de ce pauvre Saint-Fargeau la faisaient plutôt rire, mais elle en était bien incapable ce jour-là ! Juste capable de prendre ses jambes à son cou et d'aller se tapir dans le grenier. Tant pis pour la poussière, les rats, les araignées. Là du moins personne ne la trouverait. Et, par une lucarne, elle pouvait surveiller la grande allée : autre avantage.

Ils étaient bien restés deux heures et Fanny tremblait à l'idée que peut-être on allait les retenir à souper. Mais non, c'était impensable ! Tante Lydia avait beau avoir toutes les audaces, tante Blanche s'interposerait : on ne pouvait garder comme un intime, à un dîner où il ne soit pas prié, quelqu'un qui vous rendait visite pour la première fois !

En voyant le lieutenant de Livran et le colonel de Saint-Fargeau descendre enfin l'allée, elle avait béni ces principes qu'elle battait en brèche, par ailleurs, volontiers !

Elle avait éprouvé aussi — pourquoi le taire ? — un petit choc au cœur en voyant quel beau cavalier il était : droit et mince dans la lumière blonde de cette fin d'après-midi de juillet. Et il l'avait tenue dans ses bras et embrassée... Le souvenir la troublait. Elle se demanda si elle l'aimait... Peut-être...

Et maintenant, il fallait supporter les fadasseries admiratives de Camille !

— Ma parole, fit-elle avec colère, tu ne peux parler que de ce garçon ! Déjà amoureuse ?

— Oh, Fanny ! Comment oses-tu, toi, parler ouvertement de ces choses si ...si vulgaires !

Camille pinçait sa bouche ronde comme une poule son derrière ! Trouvait-elle ça « distingué » ? Et elle continuait son prêche :

— Tu sais très bien ce que disent tante Lydia et maman :
Jamais une dame ne doit montrer ses sentiments !

— Non, bien sûr, dit avec ironie Fanny. Les hommes
doivent deviner sans qu'on les y aide ! Et tant pis pour celui
qui n'est pas devin ! Et tu crois ça ? Tu n'as donc jamais
regardé tante Lydia face à un homme ?

— Tais-toi ! D'abord on ne doit parler sans cesse des
hommes. C'est immodeste !

— Ah oui ? Alors, qu'est-ce qu'il est ton Mathieu de
Livran, une souche de peuplier, pour que tu m'en rebattes
les oreilles depuis une heure, sans t'arrêter, même pour
respirer ?

— Je ne te parle plus d'abord. Tu es trop méchante. Et je
dirai à tante Lydia ce que tu racontes sur elle et on t'enfer-
mera encore et je rirai, oui, je rirai !

Une nouvelle fois, l'envie brutale de jeter la vérité au nez
de cette sale petite vipère qui ne savait que geindre et
rapporter. M'enfermer ? Tu crois ça ? Je me sauverai, je me
suis déjà sauvée et ton Livran m'a...

Fanny pinça les lèvres, farouchement.

— Tu ne réponds rien cette fois ? Mademoiselle la
vantarde, la fanfaronne, la mal polie, mademoiselle la sans-
le-sou...

Le regard de Fanny aurait dû la prévenir. Une gifle claqua
sur la joue de Camille, si violemment que les doigts de Fanny
zébrèrent de rouge la peau blanche.

— Voilà ma réponse ! Et va pleurer ailleurs, je t'ai assez
vue. Va donc pleurer sur le dolman de ton beau lieutenant !

C'était un mot de trop que Fanny regretta. Trop tard.
Camille hurlait :

— Maman le saura ! Je te jure qu'elle le saura ! Et je lui
dirai que c'est toi qui n'as cessé de me questionner sur lui !

Parce que tu m'as questionnée, toi aussi. Et tu me traites comme... comme...

Ça y était : Camille pleurait ! Fanny la prit par le bras, la fit pirouetter jusqu'à la porte qu'elle claqua de toutes ses forces : cela vous soulageait les nerfs !

Et elle pensa : si tante Blanche me dit un mot, un seul, ce soir, je me sauverai et j'irai le retrouver près de la cabane. Oui, j'irai.

Elle se regarda dans la glace avec un petit sourire crispé : hier soir il était au rendez-vous. Elle s'était glissée entre les vignes et avait très bien vu son cheval, attaché aux sureaux. Était-il venu les soirs précédents ? Oui sans doute. Comment le savoir ? Le départ pour Chapeau-Rouge avait été retardé. Mais comment s'en serait-il douté ? Dans son esprit, la semaine finissait ce soir et il serait furieux... Que pouvait-il faire pour se venger ? Fanny ne voyait pas...

Elle avait peur et se demanda avec anxiété si même, sans sermon de tante Blanche, elle ne devrait pas tout de même y aller...

Après tout, que risquait-elle ? Un accroc énorme aux usages, ça oui... mais après la nuit de la Saint-Jean, elle estimait ne plus en être à ça près !

Il restait encore plus d'une heure avant le souper qu'on servait tard lorsqu'on était à la campagne pour permettre à Cyprien et à Théodore de se changer tranquillement : ils rentraient chaque soir à cheval de leurs bureaux de la maison de vins.

Fanny se dirigea vers un petit salon du rez-de-chaussée, assez en retrait, dans une aile. Elle y aurait la paix. Un piano était ouvert. Elle s'assit sur le tabouret et commença à jouer pour se calmer les nerfs.

Elle n'entendit pas venir Flavien et sauta au son de sa voix :

— Ah, c'est toi, mon cabri ! Je me disais aussi que pour massacrer à ce point la musique de Mozart, il n'y avait que Fanny ! Mon Dieu, que tu joues mal !

— Tu ne m'apprends rien, tu sais, fit-elle d'un ton sec. Je n'ai d'ailleurs jamais convié personne à m'écouter.

— Ce qui, traduit en clair, signifie : Flavien, sors d'ici ! Ce n'est pas vrai ?

Elle haussa les épaules et se remit à jouer. Flavien écouta un moment en faisant la grimace, puis il posa ses mains sur celles de Fanny :

— Pour l'amour du ciel, arrête-toi. J'ai envie de rester ici. Tu ne veux pas ?

— Cela m'indiffère, fit-elle avec raideur.

Il fit pivoter le tabouret pour qu'elle soit face à lui. Dans la lumière du crépuscule, sa peau brune prenait un éclat d'ambre, ses yeux se veloutaient et Flavien dit, emporté par l'élan :

— Ça ne fait rien, va, que tu joues mal, tu es tout de même bien jolie !

Elle se leva d'un bond :

— Tu as fini de te moquer de moi ? Je ne suis pas jolie, je le sais, ni douce, ni patiente, ni vertueuse, ni bien élevée, je n'ai pas de dot et je ne me marierai jamais, ou alors ce sera avec un veuf repoussant, plein d'enfants, chauve et gras. Non, merci !

— Mais, Fanny, mon petit cabri…

Il tenta de caresser ses cheveux. Elle le repoussa violemment :

— Je ne suis pas ton cabri, je trouve ta comparaison ridicule ! Ôte ta main de mes cheveux ! Et d'abord le veuf, il existe, oui parfaitement, c'est maître Mazeroy.

— Maître Mazeroy t'a demandée en mariage ?

— Non, mais c'est un projet de tante Blanche, et quand elle a un projet en tête elle finit toujours par le réaliser ! Elle ne t'en a pas parlé ?

— Non. Elle ne s'y est pas risquée !

— Pourquoi dis-tu ça sur ce ton ?

— Parce que ta tante sait très bien ce que je lui aurais répondu.

— Quoi par exemple ?

Il sourit à Fanny :

— Un tas de choses que les petites filles ne peuvent pas comprendre !

— Je ne suis pas aussi bête que Camille !

Il sourit un peu plus :

— Heureusement. Et c'est pour ça que tu étais tout d'un coup transformée en bourrasque ?

— Oui et non, dit avec honnêteté Fanny, car, à la vérité, elle ne s'était pas souciée une minute du projet Mazeroy. Jamais elle n'épouserait ce vieil homme, dût-elle faire un scandale et crier non à l'église si toutefois on réussissait à l'y traîner, ce dont elle doutait ! Elle avait seulement voulu répliquer du tac au tac aux méchancetés de Flavien.

Elle rougit un peu sous son regard :

— Oh, et puis laisse-moi tranquille. Laisse-moi, tu entends, laisse-moi !

Et d'un coup, sans savoir comment, elle éclata en sanglots ; humiliée, furieuse, elle pensait entre deux hoquets et deux reniflements : me voilà comme Camille, comme elle exactement !

Et sans savoir comment non plus, elle se retrouva le nez contre le gilet de Flavien, et elle l'entendait avec une stupeur grandissante dire :

— Fanny, ne pleure pas. Je t'en prie. Ne pense pas à ce ridicule projet. Je ne le permettrai jamais. Je t'aime trop pour ça. Et c'est vrai, tu sais, ce que je disais tout à l'heure, je ne me moquais pas. Moi, je te trouve très jolie. J'aime la couleur de tes yeux, et ta peau brune, et tes cheveux...

Et il continuait doucement, tendrement à la serrer contre lui, et elle se disait : « Ma parole, il est en train de me faire une déclaration d'amour ! »

Et si par hasard il essayait de l'embrasser comme l'autre nuit Mathieu de Livran ? Elle faillit pousser un gémissement et s'écrasa un peu plus le nez sur le devant du gilet.

Flavien parlait toujours, un mot la fit sursauter : épouser... Flavien voulait l'épouser... mais elle ne voulait pas, elle ! Le monde devenait fou et un vertige la prenait.

Flavien demanda d'un ton inquiet :

— Fanny, qu'est-ce que tu as ? Un malaise ? Tu ne vas pas t'évanouir ?

Elle réussit à dire :

— Non. C'est la chaleur, il fait si lourd aujourd'hui et...
et la surprise... Je ne me doutais pas, tu comprends...

— Fanny, tu es heureuse ?

Que pouvait-elle lui répondre ?

— Oui, fit-elle en le repoussant doucement, mais oui. Je crois que je ferais mieux d'aller m'étendre.

— Tu ne veux pas que je t'accompagne ?

— Non, voyons !

Elle avait retrouvé son habituel ton impatient. Flavien sourit :

— Il me semble que tu vas déjà mieux !

Il la laissa enfin partir et elle monta l'escalier du même pas, lui semblait-il, que si elle avait cent ans ! Comment se dépêtrer maintenant de cet imbroglio sans blesser Flavien ? Pourquoi fallait-il que ce soit justement lui qui l'aime de cette manière et non pas Mathieu de Livran ? Il lui semblait qu'elle serait devenue folle de joie s'il lui avait dit les mêmes phrases que Flavien !

Elle s'arrêta à mi-palier : mais, après tout, rien ne prouvait qu'il ne les dise pas un jour ? S'il l'avait suivie, s'il lui avait fixé ce rendez-vous auquel il était venu chaque soir, n'était-ce pas parce qu'il l'aimait un peu ?

Peut-être que ce soir, si elle lui avouait la vérité, il lui demanderait de l'épouser ? Elle pourrait alors expliquer à Flavien et refuser surtout, refuser ce mariage tout en lui conservant la même tendresse, la même affection !

Oui, c'était sûrement la seule solution !

Arrivée devant la porte de sa chambre, sa décision cette fois était prise : elle irait le rejoindre ce soir près de la cabane, sous les sureaux.

V

Elle vit d'abord son cheval dont les balzanes blanches faisaient trois taches de clarté sous la lumière de la lune. Car il faisait un très beau clair de lune et la nuit était tiède et tranquille. Si tranquille qu'il lui semblait que ses pas, sur les mottes de terre desséchées par la chaleur du jour, résonnaient loin, très loin, et elle se glissait entre les réges des vignes pour se dissimuler un peu, pour que sa silhouette se découpe moins nettement sur le fond presque phosphorescent de la nuit.

Lorsqu'elle arriva à l'abri des sureaux, elle respira mieux et elle eut, en voyant Mathieu de Livran, le même choc au cœur que, de la fenêtre du grenier, quand elle l'avait regardé descendre la grande allée. Il avait un si beau visage et des cheveux si blonds que la lune faisait briller.

Il était assis dans l'herbe, adossé à la cabane. Il fumait. En la voyant, il jeta sa cigarette, mais il ne se leva pas et dit d'un ton moqueur :

— J'ai cru que ma cendrillon s'était muée en Belle au bois dormant et qu'il me faudrait attendre cent ans !

— Je n'ai pas pu venir avant. Nous ne sommes arrivés qu'hier.

Ses yeux aussi brillaient et elle pensa : « Il faut que je lui explique tout de suite sa méprise, que je lui dise qui je suis. » Elle cherchait une phrase lorsqu'il demanda :

— On entre dans la cabane ou on reste dehors ?

Elle le regarda avec un peu d'étonnement :

— On peut très bien rester dehors. Ici, personne ne peut nous voir, et j'ai fait très attention en quittant la maison, vous savez !

Il eut un petit sifflement :

— Tant d'expérience sous des airs tellement innocents. On peut dire que toi, tu trompes bien ton monde ! Alors, qu'est-ce que tu attends, assieds-toi !

— Mais, fit-elle en fronçant les sourcils, je vous ai déjà dit que je ne voulais pas que vous me tutoyiez ! Et vous vous trompez, je…

Elle ne put achever sa phrase. Il s'était levé, la prenait dans ses bras :

— Tu ne vas pas recommencer la comédie de l'autre soir !

A nouveau contre lui et sa bouche cherchant la sienne. Il fallait qu'elle lui explique, il le fallait absolument, mais elle était comme bâillonnée avec, par surcroît, cette espèce de douceur insidieuse qui lui faisait tout d'un coup les jambes molles comme une poupée de son.

Et elle se retrouvait, sans bien savoir comment, assise dans l'herbe. Le bras qui entourait ses épaules la faisait glisser doucement. Elle se sentait bizarrement engourdie et pensa : « Tiens, la voix lactée est juste au-dessus, vaguement comme dans la demi-inconscience précédant le sommeil. »

Quelques secondes brèves et puis ce cauchemar : une voix qui n'est plus ni moqueuse ni tendre comme l'instant d'avant mais haletante et rauque, des mains qui n'entourent plus avec douceur votre taille mais tirent brutalement sur un corsage dont l'étoffe usée, celle d'une ancienne robe de Blanche, craque et se déchire. Et elle, affolée de peur et de dégoût, qui se débat, essaie de le repousser, n'arrive pas à crier tant sa gorge est serrée, murmure :

— Lâchez-moi !

Comment l'oncle Théodore pouvait-il avoir ces into-
nations-là ?

— Non ! L'occasion est trop belle ! Je l'attendais depuis
cinq ans ! Cinq ans que je m'étouffe dans votre existence
momifiée, que je vous regarde : Cyprien, cette baudruche
remplie de soi-même, du vent, toi, un morceau de banquise
sur un océan de regrets, et quant à la vertueuse Blanche,
laissez-moi rire ! Si Flavien n'est pas encore son amant, ce
n'est pas faute d'invites ! Elle meurt d'amour pour Flavien,
elle se consume et lui hésite, elle lui fait peur ! Avoue-le
donc, mais avoue-le !

Toutes les voix se mêlaient dans la tête bourdonnante de
Fanny. Qui criait : « Fous le camp ! » et qui « Ce n'est pas
vrai ! » Qui disait : « Tu ne vas pas la croire, je pense,
Cyprien ! » Qui égrenait ce chapelet d'insultes que Fanny ne
comprenait pas toutes : une putain qu'est-ce que c'était ?

Une voix dominait soudain les autres, celle de Cyprien :

— Demain, tu fais tes malles, Flavien, tu m'as compris ? je
ne veux plus te voir ici !

Pourquoi Flavien ne se défendait-il pas s'il n'était pas
coupable ? Elle n'avait pas le temps d'y réfléchir, la voix de
Lydia reprenait :

— Sois tranquille, de toute façon il les fera ! On viendra
l'arrêter demain !

— C'est ce que nous verrons ! Tu vas me suivre tout de
suite !

— Où, s'il te plaît ?

— Chez Saint-Fargeau. Et j'entrerai avec toi, tu peux en
être sûre, et nous verrons si après ce petit entretien il ose
encore faire arrêter Flavien !

— Je ne veux rien devoir à cette garce ! J'ai encore le temps
de filer cette nuit !

— Tu feras ce que je te dirai, Flavien ! Je suis responsable, seul. J'ai commis la faute d'épouser cette femme, je dois payer.

Fanny pensa brusquement : « Tous les domestiques doivent écouter », et elle eut presque autant de honte que s'ils s'étaient mis nus, tous. Que faisaient-ils d'autre ?

Le monde devenait fou… Quand avait-elle eu cette pensée ? Hier ? Aujourd'hui ? De toute façon, il y avait à présent un siècle !

L'aiguille désaimantée n'avait même plus Flavien pour pôle.

Elle courut à l'écurie, prit le premier cheval dans le premier box, ne se donna même pas la peine de le seller et elle partit au galop, cramponnée comme elle pouvait à la crinière. Quand elle passa le pont, les hommes de l'octroi n'osèrent pas l'arrêter ni surtout plaisanter. Où pouvait bien courir, à cette heure de nuit, cette petite en larmes ? L'idée première qui venait à l'esprit était celle d'un malheur, quelque mort, quelque deuil.

Elle sauta de cheval et tambourina du poing à la porte de Jérôme, sans se soucier des fenêtres voisines dont les volets s'entrebâillaient ni des marins qui, sur le quai, se retournaient.

Le premier à la reconnaître fut l'envoyé de Londres parce que ces coups brutaux, la nuit, à une porte n'avaient pour lui qu'un sens : on venait l'arrêter. Et il avait le premier bondi vers les persiennes, aperçu ce visage levé que le clair de lune encadrait. Et la première chose qu'il remarqua ce fut l'absence de selle. Il entra rapidement dans la chambre de Jérôme Eymen.

— Ce n'est pas pour moi, monsieur, rassurez-vous, mais faites ouvrir tout de suite. C'est votre nièce Fanny. Autant ne pas attendre que toute la rue soit réveillée.

Jérôme le regarda avec stupeur :

— Et d'où connaissez-vous ma nièce Fanny ?

— Du soir que j'ai passé sous le toit des Morange. Mais soyez sans crainte, elle ne me connaît pas.

Jérôme eut son petit rire :

— J'aime autant ça ! Aidez-moi, je vous prie, à mettre ma robe de chambre. Inutile d'alerter Joseph. Il est sourd comme un pot, Dieu merci pour nous. Je vais aller ouvrir moi-même.

L'étranger revint dans le petit bureau.

Mais Joseph n'était pas aussi sourd que le disait Jérôme et il entra, tout bégayant :

— Monsieur... monsieur, c'est Mˡˡᵉ Fanny. Dans un état, monsieur, dans un état... Oh, Vierge mère !

— Bon, bon, dit Jérôme. Tu l'as fait entrer, j'espère. Où est-elle ? Dans le salon ?

— Non, monsieur, non, là, là. Monsieur ne la voit pas, sur le pas de la porte... Ah, c'est vrai que la lampe n'est pas, ah, ma tête s'égare, monsieur, quelle nuit, quelle nuit...

— Ne l'écourte pas davantage. Va te recoucher. J'allumerai moi-même. Tu trembles tant que tu casserais tout.

Il attendit que Joseph fût parti, alluma, vit Fanny et pinça les lèvres, puis il dit de sa voix habituelle :

— Eh bien, entre, petite. Et viens me raconter ce qui t'est arrivé.

Il la vit se raidir :

— Ne me le demandez pas, je vous en supplie. Ne me demandez rien, rien, rien...

« Ses nerfs vont lâcher », pensa Jérôme, et il dit doucement :

— Bien, bien. Je ne demanderai rien. Assieds-toi là dans ce fauteuil, appuie ta tête, ferme les yeux. Veux-tu que j'éteigne la lampe ?

Elle sembla seulement alors voir la dentelle déchirée de sa chemise qui pendait sur les bords du corsage et serra contre elle les pans de sa cape. Elle était blême jusqu'aux lèvres et grelottait.

— Oui, éteignez, je vous en prie.

Jérôme écoutait, dans le silence, se calmer lentement le rythme accéléré, haletant de la respiration de Fanny. Il espérait un peu qu'elle allait s'endormir. C'était le mieux qui puisse lui arriver. On aurait tout le temps demain de démêler ce qui semblait de prime abord une pénible histoire. Mais elle ne dormait pas, demanda d'une toute petite voix :

— Oncle Jérôme ?

— Oui.

— Vous savez comment j'avais dit que je m'appelais à cet officier ? Laure.

Et elle éclata en sanglots.

— Eh bien, tu as dit ça, je suppose, parce que tout le monde te répétait que tu lui ressemblais ? C'est d'ailleurs vrai, et tu n'as pas tellement menti.

Il parlait calmement comme s'ils poursuivaient une conversation, en plein jour, dans un jardin ou un salon.

— Mais à présent, j'ai plus de honte de ça que de tout. Avoir pris ce nom pour... pour...

— Pour aller, j'imagine, à quelque rendez-vous ? Qu'est-ce qu'il t'avait raconté ? Qu'il t'aimait ?

— Non. La première fois, non. Il m'avait seulement... (Elle s'arrêta.) Ne soyez pas choqué surtout ! Il m'avait... embrassée...

— Un baiser, tu sais, ce n'est pas un si gros péché ! Ne le répète surtout pas à ta tante Blanche !

— Je ne la verrai plus jamais !

Il sursauta. Elle continua :

— Je ne veux plus les revoir, jamais ! Ils sont horribles, tous ! Si vous les aviez vus, tout à l'heure, si vous les aviez entendus, et moi qui avais couru comme une folle pour retrouver Flavien. Après, je ne savais plus, oncle Jérôme, je ne savais plus où aller, pour les fuir. Alors j'ai pensé à vous.

Jérôme perdait pied :

— Pourquoi criaient-ils ? Qui ?

Elle raconta toute la scène.

— Oncle Jérôme, croyez-vous... croyez-vous que ce soit vrai... que Flavien et tante Blanche...

— Non, dit d'un ton ferme Jérôme. Et tu vas me faire le plaisir de penser comme moi ! Flavien est un honnête garçon et oublies-tu que ta tante Blanche est ma fille ?

— Je l'avais oublié, c'est vrai, pardonnez-moi !

— Mais ton officier par exemple, celui-là, quel goujat ! S'attaquer à une jeune fille, l'embrasser, lui proposer cette sorte de rendez-vous ! Mais il faut qu'il soit fou ! Tu n'es tout de même pas une grisette !

— Il l'a cru. Il ne savait pas qui j'étais. Je l'avais rencontré le soir de la Saint-Jean, sur le quai, je m'étais sauvée et...

Elle finissait par raconter toute l'histoire bribes par bribes. Elle tut seulement le nom de l'officier et Jérôme préféra ne pas le demander. De toute façon, jamais il n'épouserait Fanny sans dot.

— C'est pour ça aussi que je veux partir loin. Il ne sait pas encore qui je suis, mais la première fois qu'il me verra dans n'importe quel salon... Oh, je ne pourrai pas le supporter. Je veux partir, oncle Jérôme, loin, loin...

Jérôme réfléchissait :

— Pourquoi as-tu dit tout à l'heure que tu avais couru comme une folle pour retrouver Flavien ?

— Parce qu'il m'avait dit cet après-midi qu'il voulait m'épouser.

Jérôme garda le silence.

— Est-ce que ma grand-mère Balguière aurait agi comme moi ? Non, n'est-ce pas...

C'était curieux, et pour lui émouvant de voir l'obstination avec laquelle cette petite rapportait chacun de ses actes à Laure qu'elle n'avait pas connue.

Il dit avec douceur :

— Tu sais, les événements qui arrivent à l'un ne sont jamais le calque de ceux qui arrivent à l'autre. Mais je crois qu'elle aurait compris. Essaie de dormir à présent. Étends-toi là, sur la méridienne, et ne pense plus à tout ça. Demain on essaiera d'arranger ce qu'on pourra.

Fanny s'endormit comme le font les enfants d'un seul coup. Lui resta longtemps éveillé.

Il pensait à Laure. Elle aussi était venue, follement comme cette petite, un soir, à un rendez-vous, non pas dans cette grande maison solennelle qui convenait à un vieillard mais sous un figuier, près de vignes. Il s'embarquait le lendemain pour la Louisiane et ils s'étaient aimés cette nuit-là et mutuellement juré de s'attendre. Lui l'avait fait, elle pas.

Il pensait à Blanche. Sa fille était pour lui un rébus, douloureux car il l'aimait, et comment Cyprien allait-il réagir ? Et elle ? Pour un garçon comme Flavien ! Il songea brusquement qu'il faudrait peut-être qu'il prévienne l'envoyé de Londres de la menace que pouvait constituer la dénonciation de Lydia. Il se ravisa : c'était bien suffisant qu'il ait entendu — car il ne pouvait pas ne pas entendre ce déballage familial !

Il pensait à cet officier. Un mot surtout lui avait fait mal : il était beau. Un mot de Laure, quand il était rentré de

Louisiane et l'avait retrouvée mariée. Si mal mariée, mon Dieu... révoltée, durcie et accumulant les scandales avec une espèce de frénésie.

Il n'avait pas pu supporter de revenir en Louisiane, dans cette maison construite pour elle, meublée pour elle. Il avait tout vendu et il était reparti plus à l'ouest, vers des régions sauvages où rien ne la rappellerait. Il avait abouti au Texas, sur la rivière Nueces.

C'était de cette meurtrissure qu'était né le ranch du Français...

* * *

Le lendemain matin, de bonne heure, Jérôme vit arriver Flavien. Blême, pas rasé, un habit fripé comme s'il avait dormi dedans, il sauta de cheval :

— Puis-je vous demander quelques instants, mon oncle ? J'ai des choses graves à vous dire.

— Entre, dit Jérôme en le précédant dans sa bibliothèque.

— Je viens vous dire adieu. J'ai quarante-huit heures pour filer, devenir à mon tour un proscrit, un exilé, un de ces malheureux dont la seule faute fut de...

— Ne t'exalte donc pas, coupa Jérôme calmement. Une mesure d'exil peut toujours se rapporter.

— En attendant, je pars, et je pars à cause d'une garce qui non seulement cocufiait mon frère, ridiculisant ainsi notre nom — car elle n'a pas eu que Saint-Fargeau comme amant, j'en ai appris de belles ! — mais par surcroît, Lydia nous espionnait et nous a vendus, vendus, vous entendez !

— Ne crie pas si fort. J'entends. Mais, dis-moi, elle était bien au courant ! Vous parliez donc ouvertement devant elle de vos petits complots républicains ?

69

— Nous prenez-vous pour des enfants ! C'est Gabarot qui, sans croire mal faire, par une vanité de vieux sot ravi de faire le paon devant une jolie femme, lui racontait tout ! Une honte de plus pour les Morange, séduire notre régisseur !

— La séduction n'a pas dû aller bien loin ! (Il regarda Flavien.) Pourquoi vous a-t-elle vendus ?

— Le sais-je ? Par perversité naturelle ou haine de Théodore ou simplement ennui de la vie d'ici trop différente de celle dont elle avait rêvé à Mexico.

— Ah. J'avais craint un moment qu'elle ne détestât Blanche (il observa la tension visible du visage de Flavien). C'est fréquent entre femmes qui cohabitent et Blanche a un caractère excessif sous ses airs si posés.

— Blanche n'est pour rien dans cette affaire.

Jérôme sourit :

— Je suis heureux de te l'entendre dire. L'émotion de l'exil ne t'a pas fait perdre, je vois, le sens de ce qu'un homme d'honneur doit à une femme. (Il eut un geste aussi tranchant que sa voix.) Le sujet est clos. Comment as-tu obtenu quarante-huit heures de délai ? Par Saint-Fargeau ?

— Oui, dit Flavien mal à l'aise. Lydia rentre au Mexique dans sa famille. Théodore repart naviguer et moi, j'ai quarante-huit heures pour m'échapper.

— L'envoyé de Londres ?

— Gabarot n'était pas au courant de l'endroit où il se cachait. Je me méfiais de lui depuis ce soir-là. Et pour moi, vous comprenez, Saint-Fargeau a compris quel esclandre cela ferait : un Morange arrêté, un Morange proscrit !

Jérôme le regarda avec un peu de pitié :

— Où comptes-tu aller ?

— En Amérique ! Et c'est vous qui m'en avez donné l'idée. Moi aussi j'embarque sur le *Virginian*. Mais plus officiellement !

— Et que feras-tu en Amérique ? Tu joueras du piano ?

Flavien rougit :

— Vous êtes comme Blanche, vous...

— Ne me parle pas, toi, de ma fille ! Je ne te le permets pas ! J'imagine que Cyprien ou elle ne te laissent pas partir les mains vides et, de là-bas, tu pourras toujours leur écrire si tu ne joins pas les deux bouts ?

— Vous m'estimez peu !

— Ce que tu vaux. Tu n'es pas un méchant garçon. Tu es sensible, généreux mais chimérique et exalté. Et tu ne seras pas un Morange, là-bas, tu sais ? Il faudra te battre, empoigner la vie et tu n'as fait jusqu'ici que la caresser ! Moi aussi j'ai un cadeau pour toi, un presque trop joli cadeau : Fanny est ici.

— Depuis quand ? Elle était à Chapeau-Rouge hier soir.

— Et ce matin, dans l'affolement qui règne, personne n'a remarqué qu'il manque Fanny et Ramsès. Elle n'est tout de même pas arrivée à pied !

Le visage de Flavien s'était éclairé et il y avait tant de tendresse dans ses yeux que Jérôme en fut un peu rassuré : Fanny, du moins, serait aimée...

— Elle veut partir avec moi ! Mais c'est magnifique ! Jamais je n'aurais osé, moi, le lui proposer, et elle l'a compris, et elle est ici ! Je la ferai embarquer avec moi sur le *Virginian* et (il réfléchit un instant puis dit avec une exaltation croissante) nous nous marierons dès demain, au Verdon, oui, c'est ça, au Verdon. Le curé Durieu ne pourra pas refuser ! Il est républicain et m'a caché des hommes à plusieurs reprises en attendant qu'ils embarquent.

— Et après, où t'installeras-tu ?

— A Boston.

— Ah, dit Jérôme d'un air lointain. Dans le Nord... Ce sera dur pour elle. Le Sud ne te tente pas davantage ?

— Moi ? Aller vivre dans un pays où règne l'esclavage, où des hommes parce qu'ils sont noirs sont plus maltraités que du bétail ? Jamais ! Et voulez-vous que je vous dise : cette guerre qui vient de commencer, sur ce propos justement de l'esclavage, entre États du Nord et du Sud, je souhaite que le Sud la perde, oui ! (Flavien, à nouveau, s'exaltait.) Et je suis prêt, une fois là-bas, à me battre, moi aussi, avec le Nord contre le Sud, pour la liberté et l'humanité !

— Comme tu aimes les mots ! Songes-tu à Fanny dans tout ça ?

— Si je songe à elle, s'indigna Flavien. Votre question, mon oncle, prêterait à sourire ! Mais qui donc a jamais songé à elle, ici, en dehors de moi ? Qui l'a aimée ? Pourquoi voulez-vous qu'elle souffre d'habiter Boston ou Philadelphie ? Était-elle heureuse ici ?

C'était vrai, songeait Jérôme. Tristement vrai. Même lui, s'il avait vraiment aimé cette petite, il l'aurait ficelée sur une chaise plutôt que de la laisser partir avec Flavien et il ne favorisait son départ qu'à cause de sa fille, de Blanche : Flavien marié, elle serait sauvée de l'amour insensé qu'elle lui portait. Jamais elle ne lui pardonnerait de lui avoir préféré Fanny.

Et parce qu'il éprouvait un remords, lorsqu'il rejoignit Fanny dans sa propre chambre où elle s'efforçait de recoudre son corsage déchiré, il dit avec sécheresse :

— Flavien est en bas. Il est forcé de s'enfuir et part pour Boston. C'est aussi loin que tu le souhaitais. Il t'attend. Vous pourrez vous marier demain soir au Verdon.

Elle était devenue blême et, pendant une seconde, Jérôme la sentit fléchir, mais elle redressa la tête d'un coup sec, comme Laure, et demanda :

— Quand partons-nous ?

Sans répondre, il marcha vers son secrétaire, ouvrit un tiroir, sortit un écrin, le tendit à Fanny :

— C'est mon cadeau de noces.

Elle regardait avec stupeur les longues boucles d'oreilles faites d'émeraudes et de perles — un très beau bijou.

— Je les avais achetées pour ta grand-mère, chez un joaillier de la Nouvelle-Orléans.

— Et vous ne les lui avez pas données ?

Il regardait le portrait de Laure :

— Ma foi, non. (Il sourit à Fanny.) C'est à toi que je les donne. A toi seule. Pas à Flavien. Et je te permets de les vendre si un jour tu ne pouvais pas faire autrement. Ça ne me choquerait pas du tout. (Il ajouta d'un ton volontairement léger :) Je crois qu'il vaudrait mieux que Flavien ignore cette affaire d'officier. Tu oublieras plus vite ainsi. Et puis, aie confiance dans la vie : elle offre toujours à chacun sa chance. (Il eut un petit rire.) Ce sera là ma bénédiction !

Quand il la vit partir, à cheval, côte à côte avec Flavien, il se sentit très las : la chance, Laure l'avait eue et l'avait gaspillée. Fanny ferait-elle mieux ?

Appuyé aux persiennes, dans l'étouffante chaleur du bureau, l'envoyé de Londres lui aussi les regardait s'éloigner, la regardait s'éloigner, elle, sa bohémienne, sa caraque, dans le soleil, le long des quais. Et il éprouvait un regret.

DEUXIÈME PARTIE

I

Il regardait le paysage monotone, monochrome de l'estuaire de la Nueces : où commençaient les eaux, où finissaient les vases ? Tout avait le même ton jaune éteint du foin sec. Même les rares arbres où pendaient des mousses grises avaient l'air limoneux — ailleurs on eût dit poussiéreux, mais dans ce décor aquatique il était impossible d'évoquer la poussière.

A chaque coup de rame des nuées de moustiques semblaient surgir de la rivière et il n'essayait plus de les chasser : il y en avait trop ! Les hommes qui ramaient, eux, avaient l'habitude et leur peau était si tannée que sans doute ne sentaient-ils plus les piqûres !

Il se sentait déconcerté. En écoutant Jérôme Eymen, il avait cru pouvoir imaginer ce qu'était ce pays et il se rendait compte à présent qu'il avait seulement transposé en esprit les étangs et les roselières, la nacre du sel sur les salicornes qui devaient fleurir en Camargue en ce moment. Les bayous ne rappelaient pas les roubines, et sous le soleil de plomb que masquait un ciel bas, elle aveuglait en écrasant. Tout sentait la boue tiède et la pourriture et il luttait contre le découragement.

Dans la barque les hommes ramaient en silence et il avait renoncé à les questionner tant il lui était difficile de comprendre leur langage fait d'anglais nasillard presque inintelligible et d'espagnol qu'il ignorait.

Les négociants de la Nouvelle-Orléans auxquels il avait présenté les lettres de recommandation de Jérôme Eymen lui en avaient, à leur tour, donné d'autres pour des planteurs de coton du Texas oriental — le seul Texas qui comptât, à leurs yeux !

Et à Houston, lorsqu'il avait parlé de ses projets, tous avaient tenté de le dissuader : oui, il existait des ranchs dans le Texas de l'Ouest, mais ce n'était pas la Californie ! Les grandes propriétés d'élevage étaient rares et c'étaient les seules qui pouvaient subsister ! King, bien sûr, le capitaine Richard King, régnait sur des milliers d'hectares d'herbe et des milliers de longhorns portaient sa marque, célèbre dans tout l'Ouest, Running W, mais c'était là un cas d'espèce qui ne devait pas faire illusion !

A quoi sert l'abondance des troupeaux s'il n'existe aucun débouché ? Le prix du bétail ne cessait de baisser, et si richesse il y avait dans le Texas des herbes et du cattle business, elle était pour longtemps gelée ! Surtout maintenant que la guerre fermait tous les marchés du Nord au Texas sudiste !

On lui déconseillait de tenter l'aventure : il n'y avait pas d'avenir dans le Texas de l'Ouest, sauf pour quelques despérados ! Et il avait failli sourire : qu'était-il d'autre ? Nul n'avait l'air de soupçonner qu'il n'avait pas un sou en poche !

A la fin, pour s'en débarrasser, on lui avait donné l'adresse d'un certain Morgan, bien plus petit seigneur que King, mais qui faisait encore un peu figure et qui avait le ranch de Santa Clara, dans le comté du même nom, sur cette Nueces dont il remontait à présent lentement les eaux jaunes.

Vers la fin de l'après-midi, il était arrivé au terme de son voyage et en débarquant sur l'appontement de bois, il s'arrêta pour regarder ce paysage enfin semblable à ce qu'il attendait : une immensité d'herbes hautes que le vent soulevait et moirait par plaques comme la surface d'une mer, une terre vallonnée que coupaient çà et là des bouqueteaux de chênes rouges et de pins.

Des pistes de terre sablonneuse convergeaient vers un groupe de bâtiments que l'on apercevait au loin. La poussière tournoyait, rousse, dans le crépuscule, et au bout de l'appontement deux poteaux de bois dressés en portique étaient surmontés de l'inscription : « Santa Clara ».

Un cavalier s'approchait. Il montait un mustang et s'arrêta face à l'appontement, passa sa jambe gauche autour du pommeau de la selle, nonchalamment, et négligeant Claude-Henri, s'adressa directement aux hommes de la barque :

— Es il, el hombre ? [1]

Un des rameurs hocha la tête affirmativement et les autres se mirent à rire d'une plaisanterie que Claude-Henri ne comprit pas. Puis ils descendirent, détachèrent les chevaux groupés autour d'un arbre, sautèrent en selle et partirent au galop, en direction des bâtiments.

Le cavalier resta seul avec Claude-Henri. Il était de petite taille, mince et sec, et ses chaparajos étaient aussi usés que la crosse de son colt. Mais Claude-Henri remarqua la richesse de la selle très incrustée d'argent et les roues ciselées des éperons : si le cavalier était indéniablement mexicain, il ne devait pas être un simple vaquero.

Un cheval restait attaché à l'arbre. Le cavalier le désigna d'un geste du menton et, repoussant le lasso attaché à l'un des côtés de la selle, devant sa cuisse, tira de la poche intérieure de son gilet de cuir une blague à tabac et se mit à

---

1. C'est lui, l'homme ?

rouler une cigarette d'un air faussement détaché. Claude-Henri sentait le regard qui épiait chacun de ses gestes à l'abri du chapeau posé très avant sur le front.

Sans se presser, il détacha le cheval, tâta le mors, vérifia la selle et les étriers. L'homme grattait sur le cuir de ses chaps une allumette et se mettait à fumer, sans quitter des yeux Claude-Henri.

Lui avait compris ce qui l'attendait dès qu'il avait vu le cheval qu'on lui destinait. Un beau cheval, certes, à la robe blanche comme l'aile de la colombe, un « palomino » qui devait encore galoper librement dans le chaparral peu de temps avant et qui guettait le moment où il se mettrait en selle pour le débarquer sans douceur...

Il se félicita d'avoir troqué ses habits de citadin contre des pantalons de gros coutil, des bottes et une bonne paire d'éperons.

Lorsqu'il sauta en selle, il avait oublié le cavalier impassible dont les yeux seuls vivaient, oublié la Nueces, Santa Clara et le Texas. Il était à nouveau, après dix années, en Camargue, sur l'aire, à Barcarin, dressant un cheval sauvage qui tentait comme ce palomino de le jeter à bas. Une lutte dont il retrouvait le goût violent, la jouissance plus forte qu'aucune autre, une lutte de puissance à puissance, car entre l'homme et le cheval il n'y avait pas d'inférieur, deux égaux.

Quand le cheval se calma, maîtrisé, Claude-Henri, sans chapeau, en sueur, regarda d'un air un peu égaré le cavalier, l'appontement, les grandes lettres de bois : « Santa Clara ». Personne ne dirait plus : « Moussu, Moussu Claude-Henri, aqueu droulas es hascu subre un chivau... Maï sa roumpra l'esquino... arresta maï arresta ! »

Il n'était, il ne serait jamais plus en Camargue, et le vieux Faligou devait être mort. Il était au Texas, à Santa Clara, sur la Nueces : cette terre deviendrait la sienne et déjà il l'aimait.

Il dut résister à l'envie puérile de se dresser sur les étriers et de pousser le « Hi-yippy-yi », le cri guttural des cow-boys texans que venaient d'adopter comme cri de guerre les cavaliers du Sud qui avait fait sécession.

Le Mexicain était demeuré impassible. Il éteignit le mégot de sa cigarette en le pinçant entre ses doigts, le lança au loin :

— Come along, señor. Come.

Il partit au galop. Claude-Henri le suivit.

* * *

Il resta deux mois au ranch de Santa Clara. Deux mois qu'il passa presque entièrement à cheval. Vêtu comme les hommes du ranch, il était devenu presque aussi brun qu'eux.

Ce fut aux alentours de Noël qu'il eut avec Sam Morgan la conversation qui devait infléchir définitivement le cours de sa vie.

Sam Morgan était un vieil homme à demi paralysé par les rhumatismes, qui ne montait plus à cheval que rarement et passait le plus clair de son temps sur la galerie extérieure de sa maison.

Une maison assez curieusement baroque pour un ranch. Construite en bois, alors que les autres habitations étaient faites en adobe mais surtout ouvragée et sculptée de façon étonnante. A l'extérieur, la poussière recouvrait en les colorant d'ocre les ciselures des piliers, des linteaux, des corniches du toit. A l'intérieur, il restait de-ci de-là des traces

81

de dorure sur les plinthes, des angles de poutres. Et dans la chambre où couchait Claude-Henri, il y avait même un grand miroir dont le cadre de stuc surchargé de volutes dorées détonnait dans ce décor uniquement habité par des hommes.

Car le vieux Sam Morgan n'avait jamais été marié. C'était un solitaire, un homme taciturne qui n'avait plus assez de forces pour diriger son ranch et devait se borner à le regarder, immobile pendant des heures sur cette galerie extérieure comme le capitaine rivé à la passerelle d'un navire échoué.

Et il ne pouvait guère compter que sur Paco, le cavalier mexicain qui avait attendu Claude-Henri à l'appontement. Le régisseur se battait dans la cavalerie sudiste, et l'on était sans nouvelles de lui depuis les combats de Bull Run ; deux contremaîtres avaient déjà été tués en Virginie et le ranch de Morgan avait payé un lourd tribut à la guerre. Restait Paco, le chef des vaqueros mexicains, promu régisseur, majordome, intendant, et qui s'épuisait à la tâche car il avait lui-même atteint la cinquantaine.

Aussi le vieux Morgan était-il ce soir-là amer. Claude-Henri était assis à côté de lui, dans la grande salle où flambait du feu, car le vent était froid et s'infiltrait partout, hurlant jour et nuit sur les herbes, sifflant à travers les pins qu'il courbait.

— Vous avez vu les hommes qui sont venus pour acheter des bœufs ? Vous savez combien ils m'offraient par tête : quatre dollars ! quatre ! C'est se foutre du monde et moi je les ai foutus dehors.

Il cracha dans le grand crachoir de cuivre jaune posé au milieu de la pièce.

— Quatre dollars, dit Paco, assis de l'autre côté de la cheminée en train de tailler un morceau de corne, c'était mieux que rien. L'argent ne court pas les rues en ce moment, les acheteurs non plus.

— Je le sais. Ils nous étranglent et on ne peut que tendre le cou et crever d'asphyxie parce qu'on a trop de richesse qu'on ne peut pas monnayer ! C'est tout de même un comble, vous avouerez !

— La guerre, dit Paco.

— Non. Pas uniquement la guerre. Après la guerre, qu'on la perde ou qu'on la gagne, nous, les éleveurs texans, nous nous débattrons dans la même gadoue tant que nous ne réussirons pas à conduire nos bêtes là où la viande fait besoin. Dans l'Est. Là où il y a des villes, des marchés et des milliers d'hommes qui doivent manger.

— J'ai entendu dire, dit Claude-Henri, qu'on avait essayé, que Tom Ponting et Malone avaient conduit plusieurs milliers de bêtes jusque dans l'Illinois, à Chicago. Ce qu'ils ont réussi...

— Justement, ils ne l'ont pas réussi. Oh, c'étaient des gars courageux, deux mille kilomètres à travers le territoire indien et le désert américain, il faut le faire. Et y avait une idée. Seulement, après deux mille kilomètres, vos bœufs, ils ont plutôt mauvaise allure. A Chicago, personne n'en voulait, ils disaient que ce serait de la carne et ils n'avaient peut-être pas tort. Une bête qui souffre pendant quatre mois ! Alors, personne ne veut plus refaire l'exploit de Ponting et Malone. Moi le premier, je préférerais encore les vendre quatre dollars à ces coyotes d'acheteurs !

— Par bateaux...

Paco eut un sourire ironique et le vieux Sam cracha à nouveau :

— Le bateau, ça ne vaudra jamais rien. C'est bien pour la marchandise de luxe, pas pour le bétail. Ça coûte trop cher et les bêtes crèvent.

— Vous pensez donc, vous aussi, qu'il n'y a pas d'avenir pour un éleveur au Texas ?

— Dans l'immédiat, non. Vous êtes là depuis deux mois, vous avez vu ? Les troupeaux augmentent et les prix baissent. Je le répète, c'est l'asphyxie. Alors, voir ça quand on a commencé à seize ans avec seulement un cheval, un lasso et un pistolet et qu'on a constitué son premier cheptel en ratissant les mavericks pendant des jours et des nuits en selle dans le chaparral mexicain — et il est moins doux que la brasada d'ici, avec ces saloperies de cactus et d'épines qui déchirent même le cuir, quand on a passé des nuits allongé sous la pluie sur un tapis de selle, des heures à manier le lasso à n'en plus sentir ses doigts, parce que ça ne s'apprend pas d'un coup, la précision du lancer et la rapidité. Demandez à Paco. C'est le meilleur lasso de toute la Nueces.

Paco sourit et dit :

— C'était, hombre.

Le vieux Morgan se mit à rire et lui donna une claque sur la cuisse :

— Mais aux six coups, c'est toujours vrai.

— Eso es ! c'est !

— Il ne fait pas bon être l'ennemi de Paco, vous savez ! Je vous disais donc que lorsqu'on a commencé comme je l'ai fait et qu'on a créé un ranch comme le mien en partant de rien et qu'on voit à présent comme on est ligoté, on n'a plus qu'une envie : foutre le camp, ne pas voir la fin.

Il y eut un silence. Dans les intervalles où le vent se taisait on entendait mugir les bêtes. De la cuisine venait un son plaintif d'harmonica et des odeurs de lard frit. Paco avait posé son couteau et le morceau de corne et tendait ses mains à la flamme. Claude-Henri les vit soudain se figer tandis que le vieux Morgan disait :

— Si je trouvais un acquéreur, je m'en irais demain matin.

— Mais il est peu probable que vous en trouviez un, dit Claude-Henri. D'après ce que vous dites, il faudrait être fou...

— Je le sais bien, allez ! Paco, donne-nous à boire. Pas de ta saloperie de tequila, je te prie, du whisky. (Il parut écouter.) J'aime le vent, ici. J'aime cette vie ou plutôt (il eut un petit rire désabusé), comme dirait Paco, j'ai aimé.

— Et vous voudriez vraiment partir d'ici et où aller ?

— J'ai un frère qui a une plantation du côté de Houston. Je crèverai en paix là-bas.

— Vingt mille hectares, trente mille têtes... ça représente combien ?

— A l'heure actuelle ? (Sam haussa les épaules.) Quatre dollars la tête, faites le calcul ! Et la terre...

— Il faut être fou, hombre, pour vendre sa terre.

— Ou vieux.

La réponse fit un nouveau trou de silence. Paco remplissait les verres de whisky.

— Oui, reprit-il, pour cent mille dollars, je bazarderai tout. (Il regardait son verre de whisky.) Dommage que vous partiez, j'avais espéré vous garder comme aide-régisseur. Où serez-vous mieux qu'ici ?

— Nulle part.

— Alors pourquoi partir et où allez-vous ? Notre guerre ne vous concerne pas !

— Je vais, dit lentement Claude-Henri, là où il me sera possible de gagner vite cent mille dollars.

Pour la seconde fois, Paco s'était immobilisé. Sam hocha la tête :

— Même en soupant avec le diable, il vous faudra du temps !

— Cela dépend. Depuis le blocus, le cours du coton ne cesse de monter en Europe. Bientôt les manufactures anglaises le paieront n'importe quel prix pour ne pas fermer leurs ateliers. Il suffirait de pouvoir leur en apporter. Un bateau rapide, des gars un peu casse-cou et qui connaissent cette côte. Entre Corpus Christi et Port Isabella, il n'y a pas de plantations et le blocus est lâche. Je suis certain que je réussirai à passer.

Sam Morgan fixa de ses yeux clairs la bouche dure, les méplats accusés, le menton volontaire, et il eut un rire muet, leva son verre :

— A votre retour !

Paco leva son verre à son tour, sans rien dire. De la cuisine, accompagnée par l'harmonica, une voix d'homme s'éleva, basse, un peu éraillée :

— Oh, posez sur ma poitrine mes éperons et mon lasso, et pendant que les gars me descendront dans la tombe pour mon repos, donnez la liberté à mes chevaux, coma ti yi youpi youpi ya, coma ti youpi, youpi ya...

Le vieux Sam battait d'un doigt, sur son verre, le refrain de la chanson de selle, rythmé sur le trot léger du cheval.

Claude-Henri pensait à Jérôme Eymen :

— Cette maison, ce n'est pas vous qui l'avez construite. Elle est bâtie à l'espagnole avec plus d'ornements que d'ordinaire.

— Ouais, fit Sam sans enthousiasme. C'est un ranchero mexicain qui avait bâti ça pour sa femme. J'ai failli tout ficher à bas et puis le temps a passé. Je me suis habitué.

— Vous n'avez jamais entendu parler d'un Français qui avait eu ici un ranch, dans les années trente...

— Vaguement. Il y a eu plusieurs ranchs français au temps des Mexicains. Plus à l'ouest, je crois. Vous savez, le Texas, c'est un grand pays !

Claude-Henri se sentit un peu déçu : il avait imaginé que cette maison différente des autres avait peut-être été celle de Jérôme Eymen... Imaginé aussi, pourquoi le taire, Fanny se regardant, comme elle l'avait fait une nuit, dans la glace au cadre de stuc compliqué et doré...

Mais il chassa vite cette double pensée. Dans la vie qu'il allait mener, il n'y avait pas de place pour une femme, de longtemps. Et pour ce qui était du ranch du Français, il le recréerait ici, voilà tout !

* * *

Assise au coin de la cheminée de la seule pièce chauffée de la maison des Holmes, la salle à manger, Fanny brodait une écharpe d'officier pour Flavien, sans enthousiasme ! Le fil d'or accrochait la soie de l'étoffe et elle avait toujours eu horreur de broder. Mais il fallait bien occuper ces heures si longues, si lentes à passer.

Elle soupira, leva les yeux sur la fenêtre où ruisselait la pluie. Le printemps avait amorcé le dégel et le jardin qui s'étendait à l'arrière de la maison était un lac de boue d'où émergeaient des rosiers redevenus sauvages, des touffes d'herbe : un abandon égal à celui de la vieille demeure des Holmes ! Pourtant, Diana et Phœbé s'accrochaient à cette antiquité vénérable et ruinée comme deux arapèdes fixées à un rocher dont le flot descendant s'éloigne ! Et elles s'obstinaient à vivre là, aussi misérablement que les squatters du Sud dans la boue des bayous, avec pour tout service un vieux cocher mué en homme à tout faire. Et elles refusaient obstinément les secours plus ou moins déguisés de leurs cousins Adams qu'une telle existence, en marge du bon ton, faisait rougir de honte. Diana, plus faible, plus timorée, eût sans doute cédé mais Phœbé restait intraitable. Les « Jumelles », ainsi que toute la ville de Boston les nommait avec une commisération affectueuse, se ressemblaient physiquement, au point que sans le grain de beauté orné de poil par l'âge que Phœbé portait au menton, on n'aurait pu les distinguer. Mais moralement, elles étaient aux antipodes.

Phœbé était l'ardeur, l'entrain, la passion, voire la tyrannie. Diana était l'effacement, l'hésitation et la faiblesse. Toutes deux avaient largement dépassé la cinquantaine et n'avaient plus de rayonnants que leurs prénoms !

Une rafale de vent plus forte rabattit dans la salle à manger un nuage de fumée : la cheminée, mal ramonée par le vieux Will, tirait mal. Comment imaginer qu'on était fin avril ?

Autour de Chapeau-Rouge, les vignes devaient déjà rouler en bout de feuilles leurs vrilles vertes. Les lauriers et les buis étaient en fleurs et parfumaient les après-midi tièdes. Dans les plates-bandes, les iris…

Non ! Fanny tira si violemment sur le fil d'or que tout un morceau de soie se crispa. Non. Il ne fallait pas se rappeler cela, toute cette douceur dangereuse et finalement fausse. L'éloignement parait de séductions mensongères une réalité qui n'avait pas été si plaisante ! C'était Flavien qui lui manquait, voilà tout ! Flavien qui était l'insouciance, l'ardeur, le rire…

Pourquoi, mais pourquoi avait-il jugé bon de s'engager à Red Hill dans le Xe corps de cavalerie nordiste ? En quoi cette guerre de sécession, faite pour des esclaves et du coton, le concernait-elle ? Est-ce qu'ils étaient Américains Flavien et elle ? Mais aucun argument n'avait eu prise sur la résolution de Flavien : il estimait que c'était son devoir de républicain et il avait dit quantité de très belles phrases sur la liberté, l'humanité, la lèpre de l'esclavage et la nécessité d'aider le Nord à vaincre...

Et il l'avait si bien entortillée, cajolée, enroulée dans un flot combiné de protestations amoureuses et de morceaux d'éloquence qu'elle avait fini par accepter que Flavien s'engage, la laisse seule à Boston, dans cette vieille maison où tout parlait de ruine, de gouverneurs morts dont les portraits pendaient aux murs, sinistres, et où deux vieilles créatures filaient comme des Parques ce qui leur restait de vie, sous des plafonds dont le stuc s'effritait, rongé d'humidité !

Pour la seconde fois, le fil brutalement tiré fit gaufrer la soie et Phœbé leva le nez au-dessus du bas qu'elle reprisait : que cette jeune femme était nerveuse ! Dieu sait quelles sottises elle devait écrire à son mari ! Comme si un homme qui fait la guerre n'avait pas, au contraire, besoin de se sentir épaulé, soutenu !

— Courage, voyons, ma chère ! Les combats ont repris dans le Tennessee, mais on n'a pas entendu dire qu'il y ait eu de bataille sérieuse en Virginie et vous avez reçu une lettre hier !

Malgré elle, Fanny sourit à Phœbé : la vieille demoiselle était tonique comme un quinquina, amer au goût mais d'un effet stimulant assuré ! Et de plus, elle avait raison, il y avait eu une lettre de Flavien la veille. Fanny l'avait glissée dans son corsage. Flavien disait des choses si poétiques, si tendres, sur l'amour, sur elle ! C'était incroyable de penser que quelqu'un puisse autant l'aimer, la trouver belle, alors que l'image que lui renvoyait la glace de sa chambre — au tain, il est vrai, passablement piqué, ne la séduisait nullement !

Elle était toujours aussi déplorablement olivâtre et elle avait tant maigri ces dernières semaines qu'on ne voyait plus dans son visage que deux yeux immenses cernés de bistre. Et elle avait chaque matin de telles nausées ! Le Dr Barret disait que c'était naturel quand on attendait un bébé.

Fanny caressa de la main l'écharpe de soie : Flavien avait écrit beaucoup de phrases bien tournées à ce sujet aussi : il était heureux, fier et en même temps désolé de ne pas être auprès d'elle. Dès que ce serait possible, évidemment, il accourrait... Et il fallait penser que lorsque le bébé naîtrait, ce serait tout auréolé de la victoire : cette fois l'armée nordiste était bien réorganisée et les sudistes recevraient enfin la leçon qu'ils méritaient !

Elle s'efforçait de penser au bébé sans parvenir à s'y intéresser vraiment. Était-ce parce qu'elle n'avait pas d'amour pour Flavien et seulement de l'affection ? Était-ce parce qu'elle n'avait pas réussi, en presque un an de mariage, à surmonter le dégoût que lui avaient donné, dès la première nuit, dans la cabine du *Virginian,* les gestes de l'amour ? Chaque fois que Flavien posait sur elle ses mains, sa bouche, elle revoyait la cabane et Mathieu de Livran, et elle avait honte comme si elle eût menti constamment à Flavien.

Elle avait suivi le conseil de l'oncle Jérôme Eymen et parfois elle le regrettait. Parfois aussi le fantôme de Blanche rejoignait celui de Mathieu de Livran pour faire de ses nuits d'amour avec Flavien un étrange sabbat empoisonné de remords et de jalousie...

Flavien lui non plus n'avait jamais parlé de Blanche. Mais il acceptait bien l'argent que Cyprien envoyait à Boston pour les aider à vivre... Pendant six mois, avant de s'engager, il n'avait rien fait qu'acheter un piano et vaguement jouer. Et cet argent sans lequel ils seraient morts de faim était pour Fanny une constante brûlure.

Et elle se souvenait avec trop d'acuité de la phrase d'adieu que lui avait dite, en quittant le *Virginian,* cet homme étrange qui se disait républicain et s'en allait pourtant vivre chez les sudistes, envoyé de Londres, et n'y retournait pas, portait un nom qu'il reconnaissait n'être pas le sien et n'avouait que ses prénoms, Claude-Henri...

Sur le pont du *Virginian* qui remontait la James River, tandis que sous leurs yeux Boston défilait, verte et fraîche dans la chaleur d'août, il s'était penché vers elle :

— Tâchez d'être aussi réaliste que vous le pourrez, et de garder la tête froide, et d'avoir du courage comme vous en avez eu jusqu'à présent. Vous avez une sacrée rude partie à jouer et je crains que votre mari n'ait tendance à piper les dés.

Elle en était restée abasourdie. Il était parti avant qu'elle puisse répondre. Maintenant elle commençait à comprendre ce qu'il avait voulu dire avec ses dés pipés, mais elle repoussait ces pensées de toutes ses forces comme si elles avaient constitué une menace de plus pour Flavien. S'il y avait une bataille et que Flavien fût tué... Pour la punir... Flavien mourait...

Brusquement elle eut envie de crier son nom, comme un exorcisme. Flavien ne pouvait pas mourir, il fallait se le répéter et personne n'avait dit qu'il y ait eu de bataille encore en Virginie !

* * *

Le bébé naquit en décembre, un gros garçon nanti de beaucoup de cheveux très noirs et qui n'avait pas fait trop d'embarras pour naître. On le baptisa Jérôme en souvenir de l'oncle Eymen et Phœbé, pour la circonstance, ouvrit la dernière bouteille d'un très vieux madère vieilli en fûts sur des voiliers.

Toutes les dames de la ville se succédèrent au chevet de Fanny, vantèrent le bébé, portèrent des cadeaux, papotèrent et turent la nouvelle : une grande bataille se déroulait en ce moment en Virginie dans un endroit qui s'appelait Fredericksburg.

Et lorsque l'on apprit que c'était encore une défaite et qu'il y avait cette fois tant de morts, tant de blessés — des listes entières circulaient déjà — tous les cœurs se serrèrent et la joie de Noël s'éteignit.

Au chevet de Fanny, Diana, vertement chapitrée par Phœbé, s'efforçait de ne pas pleurer, mais l'après-midi où une de leurs cousines, affrontant la tempête de neige qui depuis le matin s'abattait sur Boston, vint prévenir les jumelles que M. Morange était sur la liste des disparus, ce qui équivalait à dire mort, la pauvre demoiselle, face au berceau où dormait Jérôme, éclata en sanglots sous le regard interdit de Fanny. Puis elle s'enfuit appeler Phœbé.

Phœbé avait beaucoup de peine elle aussi : elle s'était attachée à cette petite Française qui avait finalement plus d'énergie qu'on ne croyait, et ce gros bébé bien portant éveillait en elle des ardeurs maternelles insoupçonnées. Si elle aimait Fanny, elle adorait déjà Jérôme. Et devant le petit

92

visage soudain amenuisé dont les yeux trop grands interrogeaient plus anxieusement que les lèvres qui s'efforçaient de dire calmement en maîtrisant leur tremblement : « Mais qu'y a-t-il? Pourquoi miss Diana est-elle... », Phœbé vécut un de ses plus déchirants moments.

La phrase inachevée demeura une seconde en suspens — de ces secondes à goût d'éternité.

— Il est arrivé quelque chose à Flavien ?

— Oui, dit nettement Phœbé. Il est porté disparu.

A quoi bon atermoyer et commencer par des histoires de bataille dont cette petite se moquait bien — et on la comprenait ! Elle ajouta avec force :

— Ce qui ne veut pas dire qu'il soit mort comme le pense ma cousine Adams.

Elle renifla fortement tant pour cacher son émotion que pour exprimer le dédain où elle tenait l'opinion de Jane-Harriet en matière militaire ! Et d'où lui viendrait-elle ? Il n'y avait pas eu un soldat chez les Adams depuis un demi-siècle ! Dire qu'ils s'en flattaient ! A force de réciter des poèmes et de voyager en Europe, les vieilles familles puritaines s'étaient dévirilisées ! Affinées, certes, mais où cela menait-il ? Aux défaites ! Maintenant on le constatait.

Fanny avait fermé les yeux et ses mains étaient ouvertes, abandonnées sur le drap brodé — un des plus beaux draps des Holmes. Un geste de désespoir plus pénible à voir que des pleurs.

— Non, répéta Phœbé, jusqu'à preuve du contraire un disparu n'est pas un mort ! Il est sans doute prisonnier.

Fanny regardait à présent d'un air égaré la double fenêtre où se dessinaient des arabesques de givre et elle demanda d'une voix d'enfant :

— Neige-t-il aussi en Virginie ?

Et elle pensait machinalement : pourvu que Flavien n'ait pas froid. Comme elle l'avait pensé la veille, l'avant-veille, tous ces jours qu'elle avait trouvés amers et qui étaient pourtant encore des jours de bonheur — sans le savoir.

Phœbé hésita, puis elle prit dans son berceau Jérôme rouge et endormi et elle le posa sur le lit, contre Fanny.

Il fallait à tout prix que cette jeune femme cesse de fixer la fenêtre de cet air de folle, qu'elle bouge, qu'elle crie au besoin, mais qu'elle extériorise son chagrin.

Fanny tourna lentement la tête et regarda un instant son fils comme s'il eût été une chose transparente, impalpable, à travers laquelle son esprit de nouveau fuyait.

Mais Jérôme se mit à crier et Fanny sursauta, saisit le bébé contre elle. Phœbé sortit au moment où, le visage appuyé contre les petits cheveux chauds et doux, Fanny enfin sanglotait.

II

Un après-midi de juillet, Phœbé et Diana, assises dans le jardin, à l'ombre d'un très vieux cèdre dont les basses branches étaient mortes depuis longtemps, encadraient la petite voiture en osier qu'on avait sortie du grenier pour y installer le bébé Jérôme.

Il tendait ses petites mains potelées en direction des rubans de satin verdi du bonnet de Phœbé. Cette dernière, complaisamment, baissait la tête ; l'enfant attrapait les rubans, tirait, et lorsque le bonnet, glissant sur une oreille, tombait, il riait aux éclats. Un rire aussi rond, aussi rebondi que son petit corps de huit mois.

Phœbé se recoiffait et le manège recommençait ! Diana pinçait les lèvres : Phœbé perdait de plus en plus le sens du bon ton et de la dignité ! Diana, en fait, souffrait, sans vouloir l'admettre, de la préférence que le bébé marquait à Phœbé. Bien que leur physique fût si semblable, il les différenciait parfaitement et Diana avait beau multiplier les cajoleries, les grimaces, Jérôme lui opposait le regard impassible de ses yeux fendus en amande. Il ne riait qu'avec Phœbé et ce rire crevait le cœur de Diana.

Elles tournaient le dos à la maison dont le dernier hiver avait tant malmené les restes de peinture que, sous le soleil de juillet, les portiques et les balustres paraissaient plus gris que blancs ! Une voix d'homme s'éleva soudain :

— Veuillez me pardonner de troubler impromptu cette

charmante scène, mais je n'ai vu personne qui puisse m'annoncer !

Diana regarda en rougissant cet inconnu, grand et brun, élégamment vêtu, qui souriait courtoisement, et sa sœur, décoiffée, le bonnet sur l'oreille. Qu'allait penser d'elles cet étranger ? Pour comble, Jérôme, furieux de voir les rubans lui échapper, se mit à hurler !

Souriant toujours, l'inconnu s'approcha et, détachant la montre d'argent pendue à son gilet, tendit la chaîne au bébé. Ce dernier cessa sur-le-champ ses cris, fixa gravement l'inconnu, prit la chaîne avec ses deux mains et la laissa volontairement tomber sur l'herbe. Phœbé se mit à rire de satisfaction :

— Vous voyez ! Il préfère les rubans de mon bonnet ! C'est net !

La rougeur de Diana s'accrut : cet étranger ne s'était pas encore présenté et Phœbé le traitait déjà en familier ! Elle toussa.

L'inconnu s'était baissé et ramassait tranquillement la chaîne dédaignée :

— Je ne puis que le constater, miss Holmes. Inutile de demander le nom de cet enfant : il est le portrait de Mme Morange. C'est elle, justement, que je venais saluer. Pourriez-vous avoir la complaisance de me dire où elle est ?

— Je vais aller la chercher, dit précipitamment Diana. Elle doit être dans sa chambre.

Et elle devint tout à fait cramoisie : la chambre d'une dame était un lieu intime et voilà qu'elle avait été en parler à un homme qui ne s'était toujours pas présenté !

Phœbé lui lança un regard acéré :

— Mais non, dit-elle tranquillement. Elle n'est pas le

moins du monde dans sa chambre, tu le sais très bien. Elle est à la cuisine en train de confectionner ses madeleines.

Elle tendit carrément son bonnet à Jérôme qui s'était remis à crier en avançant les mains et elle regarda l'étranger :

— Pourquoi cacher la vérité ? Toute la ville la connaît et l'état de cette demeure ne révèle pas une si grande prospérité, n'est-ce pas ? Il est un fait certain : sans les madeleines de Fanny, nous mourrions tous ici de faim, ou nous connaîtrions la honte de ne subsister qu'en tendant la main !

— Précisons toutefois, intervint Diana au supplice, que nous ne nous livrons aucunement au commerce. Nous ne faisons de ces gâteaux que pour quelques amies !

L'inconnu sourit :

— Je n'ignore pas combien votre famille est ancienne et de quelle réputation elle jouit à Boston, et je vous fais sincèrement compliment de votre courage, car lorsqu'on connaît un peu l'esprit qui règne dans cette ville...

— Peuh ! fit avec mépris Phœbé. Croyez-vous, monsieur, que notre premier ancêtre, lorsqu'il posa le pied sur cette terre, fut cousu d'or ? Il était charpentier et (sa voix s'enfla d'orgueil) un des exilés de la *Mayflower*. Sa première maison fut faite de ses mains, avec des rondins, notre aïeule n'a connu que des robes de tiretaine et tous deux ont mené l'existence rude que mènent encore de nos jours les immigrants pauvres qui défrichent les plaines de l'Ouest. (Elle eut un petit rire.) Mais cela, les gens de Boston l'oublient ou l'édulcorent ! On ne sait plus rien voir qu'à travers les brumes rosées de l'allégorie. La *Mayflower* n'est plus rien qu'un symbole, et vivre en travaillant de ses mains un objet de scandale. Mais moi, je leur tiens tête, et j'approuve Fanny Morange, et je la soutiendrai jusqu'au bout, mordicus !

— Cette idée de pâtisseries vient d'elle ?

— Parfaitement. Une idée pleine de sens ! En voyant nos amies s'extasier sur ce gâteau français qui s'accorde si bien avec le goût du thé, elle a pensé que ce pouvait l'aider à sortir de l'extrême embarras où elle se trouvait depuis que M. Morange est prisonnier. Elle a pleinement réussi, on s'arrache ses madeleines. Mais elle vous racontera bien elle-même tout ça. Ma sœur va vous conduire à la cuisine. C'est devenu le salon de Fanny et laissez-moi vous dire que si cela vous choque, vous ne serez qu'un de plus à Boston !

— Ai-je l'air choqué ?

— Oh, vous savez, dit rondement Phœbé, l'air...

Et tournant le dos à l'inconnu, elle se remit à jouer avec Jérôme. Diana attendit prudemment d'être un peu éloignée pour dire avec dignité :

— J'espère que vous voudrez bien, monsieur, ne pas juger miss Holmes d'après des apparences...

Elle ne trouvait pas le qualificatif et il lui souffla avec une gentillesse ironique :

— Trompeuses... Ne soyez pas troublée, mademoiselle. Miss Phœbé est une grande dame, une vraie.

Diana se sentit un peu rassérénée tout en doutant que cet étranger fût, lui, un homme du monde : avoir pris pour une grande dame Phœbé qui venait de se comporter aussi grossièrement qu'une fermière de l'Ohio ou du Michigan !

Dans la cuisine, devant un four de proportions énormes, Fanny, manches retenues au-dessus des coudes par des épingles, retirait les plaques moulées couvertes de madeleines bien renflées et dorées à point.

Elle était rouge comme une pomme, la sueur coulait sur son front et dans l'air chaud de la cuisine l'odeur de pâte et de fleur d'oranger se mélangeait à celle du bois de pin dont le vieux Will garnissait à intervalles réguliers le four.

Elle faillit lâcher la fournée de madeleines en voyant qui entrait :

— Vous ! Oh, mon Dieu, vous !

Dit en français, bien sûr, ce qui frappa Diana. Elle regarda d'un autre œil l'inconnu qui se tournait aimablement vers elle :

— Merci mille fois, mademoiselle, de m'avoir guidé. Retournez vite prendre l'air. Il fait ici trop chaud pour vous et je serais navré que vous preniez mal !

Diana, subjuguée par un sourire étincelant, n'eut plus qu'à accepter ce manquement de plus au bon ton : laisser une jeune femme seule avec un homme qui ne s'était toujours pas présenté ! Un Français, bien sûr ! Mais tout de même. Elle partit l'esprit aussi en déroute que son code de vie !

Dans la cuisine il y eut un léger silence. Il s'était assis sans plus de façons sur un coin de table et, avisant un grand panier rempli de madeleines, il en prit une, mordit dedans :

— Mes compliments ! Elles sont aussi appétissantes que le jeune homme que je viens de voir dans un antique chariot d'osier, entre deux fées originales, l'un très vieux Boston et l'autre... (Il fit une grimace suggestive.)

Elle se mit à rire :

— Elles sont toutes deux très bonnes. Sans elles, que serions-nous devenus, Jérôme et moi !

— Ah, il s'appelle Jérôme ?

— En souvenir de mon oncle Eymen. Je le lui devais bien. (Son sourire s'effaça.) Vous savez que Flavien est prisonnier depuis la bataille de Fredericksburg ?

— Je sais.

Elle fut un peu désappointée qu'il ne dise pas ce que tout le monde disait en pareil cas : que c'était si triste mais que Flavien s'était conduit si héroïquement en s'engageant, qu'il s'était si admirablement battu et qu'elle avait, elle, tant de courage... Des phrases qui faisaient à ses oreilles un ronronnement réconfortant...

Il l'observait et sa bouche dure avait repris son pli railleur. Elle ressentit la même gêne que les rares fois où elle s'était trouvée avec lui sur le *Virginian* : l'impression d'être transparente !

— Je suis fière de Flavien, dit-elle sèchement. Il s'est battu en héros pour une cause...

— Non, coupa-t-il. Non. Il s'est engagé follement dans ce qui était pour lui un nouveau jeu. Uniquement. Les nordistes ont assez d'hommes pour défendre leur cause, dix fois plus d'hommes que le Sud, et ils sont assurés de la victoire à présent !

— Vraiment ! dit-elle en relevant la mèche qui tombait sur son front, et ses mains pleines de farine firent deux traits blancs sur sa peau mate. Victorieux ! alors qu'ils viennent encore de se faire battre à Chancellorsville, que le raid tenté sur Atlanta s'est soldé par une fuite ! Et vous devriez être rongé de honte de penser ça de Flavien, vous qui êtes là plein de santé, bien vêtu, bien nourri, tandis que lui... lui... (Elle dit d'une voix amenuisée :) Il est en Géorgie, au camp d'Andersonville, et c'est... enfin on dit que c'est horrible !

— Pas davantage, j'imagine, dit-il froidement, que celui de Rock Island où l'on entasse ici les prisonniers sudistes ! Le Sud tout entier meurt de faim. C'est une piètre excuse mais c'en est une. Ici ce n'est pas le cas, et sans l'entêtement du président Lincoln à refuser les échanges de prisonniers, il n'y aurait pas d'Andersonville !

— Alors vous approuvez ces sudistes, ces rebelles ?

— Non. J'essaie seulement de rétablir les faits. (Il sortit son mouchoir, le lui tendit :) Essuyez-vous le front, il est plein de farine !

— Qu'il le reste ! J'ai d'autres soucis que mon apparence ou mes robes, et moquez-vous de moi tant que vous voudrez, ça ne me fera pas plus d'effet que les airs de commisération hypocrite des dames de la ville ! Il n'y en a plus une seule qui ose m'inviter à prendre le thé ! Vous comprenez comme on y sert mes madeleines...

— Je ne me moque pas de vous, au contraire ! Simplement je me refuse, au sujet de votre mari, à ajouter ma voix au concert angélique ! La guerre est toujours horrible et je ne vais pas m'attendrir sur le sort d'un homme qui a bien cherché ce qui lui est arrivé. S'il avait un peu réfléchi, un peu attendu, il serait encore à Boston. Le Sud est perdu. La Nouvelle-Orléans est prise, Vicksburg vient de tomber. Tout le Mississippi est entre les mains des soldats de Grant et en ce moment même, en Virginie, les sudistes battent en retraite pour la première fois. Ils n'ont plus d'hommes pour remplacer ceux qui meurent, plus d'argent pour acheter des munitions, plus de vivres, plus de médicaments, et leurs côtes sont si étroitement bloquées que seuls quelques rares navires parviennent à se glisser, emportant des cargaisons dérisoires de coton — ce coton qui, par milliers de balles, s'entasse inutilement sous les hangars des plantations.

— Comment le savez-vous ?

— J'en arrive.

— Sur un de ces héroïques navires pirates sans doute ?

— Exactement. Mais parlons plutôt de vous ! Comment se fait-il que vous soyez réduite à... ces pâtisseries ? Votre mari ne vous a tout de même pas quittée sans s'être assuré que vous puissiez vivre... autrement ?

— Vous aimeriez, n'est-ce pas ? Désolée de vous enlever ce plaisir. Ma situation actuelle, j'en suis seule responsable et je ne le regrette nullement.

Il prit une autre madeleine et se mit à la manger d'un air indifférent.

— Avez-vous eu des nouvelles de votre oncle Eymen ?

— Oui. Il va bien. Je lui ai écrit pour lui annoncer la naissance de Jérôme et la captivité de Flavien. Il m'a répondu assez brièvement mais avec beaucoup d'affection.

— Donc, votre famille de France sait dans quelle situation vous vous trouvez et aucun ne fait...

— Je ne veux rien devoir aux Morange. Flavien agissait comme il le jugeait bon. Je fais de même. En apprenant qu'il était prisonnier, mon oncle Cyprien a cru de son devoir de m'envoyer une somme d'argent. Je la lui ai retournée.

— Oui. Je vois cela très bien. Et vous avez écrit que votre mari avait fait fortune dans les mines d'or du Colorado et que vous meniez une existence de reine dans une sorte de palais ? Et votre oncle Eymen qui connaît son neveu, lui, ne s'est pas étonné ? Il a cru à cet Eldorado ?

— Il a compris mon geste et l'a pleinement approuvé et je n'ai rien raconté d'aussi stupide ! J'ai simplement dit... Ce que j'ai dit me regarde seule !

— Qu'avez-vous bien pu inventer... Ah, j'y suis, le piano. Comment avais-je oublié quel virtuose...

Elle ne le laissa pas achever :

— Écoutez-moi bien, j'ai supporté qu'un jour vous me disiez sur Flavien des choses qui m'ont par la suite fait beaucoup de mal. Jamais plus je ne vous laisserai recommencer, et mettez-vous bien cela dans la tête : quel que soit Flavien et quoi qu'il fasse, je le défendrai toujours. Non pas parce qu'il est mon mari mais parce qu'une affection plus ancienne nous lie, parce qu'il est le seul être qui m'ait aimée, le seul.

Il avait perdu son air railleur, ferma d'un coup sec ses mains brunes :

— Je vous fais mes excuses. Je ne venais pas dans le but de... Peu importe pourquoi j'étais venu. Je vous ai revue, je m'en vais.

Elle le regarda, interdite, se lever, marcher vers la porte. Il faillit renverser Diana qui arrivait, compassée, débitait du bout des lèvres :

— Ma sœur et moi serions charmées si vous nous faisiez l'honneur de venir dîner demain soir.

— C'est trop aimable, miss Holmes, mais je ne puis accepter.

— Oh, se récria Diana, ravie de retrouver les pages connues de son code de vie, jamais un gentleman ne devait accepter d'emblée. Oh, voyons, je suis sûre que bien au contraire vous le pouvez et que seule une discrétion qui, certes, vous honore mais qui est excessive...

— Non, vraiment, je regrette infiniment, miss Holmes, mais il m'est impossible...

— Impossible ! Comment pouvez-vous dire...

— Oh, cessez cette comédie, dit Fanny en français, et acceptez, sinon nous serons encore ici demain !

Elle avait parlé avec brusquerie et se mit, sans plus s'occuper d'eux, à recouvrir de torchons blancs les paniers remplis de madeleines que le vieux Will irait ensuite livrer, posés sur une brouette... lui qui avait été un cocher de grande maison !

— J'accepte donc, miss Holmes, et je serai très honoré d'être votre hôte demain soir.

— C'est nous qui le sommes déjà, monsieur... (Le regard de Diana ne laissait aucun doute, il interrogeait aussi hardiment que le permettait le bon ton. Comme il ne répondait rien, elle répéta :) Monsieur... ?

Il y eut un nouveau silence. Fanny se retourna, le vit immobile en train de la regarder, une lueur gaie aux yeux. Elle dit :

— Claude-Henri, miss Holmes.

C'était aussi sec qu'un coup de bâton, mais elle avait fini par dire son prénom...

* * *

Lorsqu'il arriva le lendemain soir, Fanny assise sous le cèdre, jouait avec Jérôme. Il était à califourchon sur ses genoux et elle le faisait sauter en lui chantant la comptine :

« J'irai à Versailles, sur un cheval de paille, j'irai à Paris, sur un cheval gris... au trot, au galop, galop. »

Et à chaque galop le bébé riait aux éclats et tombait contre sa mère qui riait elle aussi. Elle avait l'air elle-même encore si enfantine dans sa robe de coton fleuri qu'il resta un moment à la regarder : une petite fille jouant à la poupée...

Ce fut le bébé qui le vit le premier et son rire s'arrêta net. Fanny se retourna :

— Ah, c'est vous ? (Elle sourit.) Dieu, que vous avez l'air emprunté avec ces paquets ! Posez-les dans l'herbe. Je suppose que les roses sont pour Diana et pour Phœbé...

— Un livre sur les origines de Boston. (Il s'assit dans l'herbe, à côté des paquets.) Pour ce jeune cavalier je regrette, mais je n'ai rien su trouver. Et pour vous, j'ai un cadeau d'une autre sorte, une idée à vous offrir.

Elle avait pris Jérôme contre elle et le balançait doucement :

— Une idée ?

— Oui. Qui n'est pas, je le crains, une idée d'homme du monde...

— Ai-je l'air d'une femme du monde quand je suis devant mon four, dans la cuisine ?

— Mais oui, plus que dans un salon, et vous êtes beaucoup plus intimidante qu'un éventail à la main. C'est en vous voyant faire hier que l'idée m'est venue. Vous vous épuisiez pour un profit somme toute assez mince. Vos amies ne doivent pas vous payer très cher vos madeleines, moins cher certainement qu'elles ne paieraient leur pâtissier. La charité des gens du monde est rarement désintéressée, et que vous le vouliez ou non, vous faites partie de leur charité.

— C'est possible mais j'en souffre bien moins que de celle de ma famille. Où voulez-vous en venir ?

— A ceci : en regardant hier cette maison, je me faisais la remarque qu'elle est située dans une rue passante, assez centrale, et que toute l'aile droite donne directement sur cette rue. Il suffirait de percer une porte, d'ouvrir de chaque côté une vitrine, d'installer un comptoir, des rayons, et vous auriez, à peu de frais, une boutique claire, grande. Moderniser votre antique cuisine nécessiterait davantage et engager quelques aides, mais vous fabriqueriez vos madeleines sur une tout autre échelle et en retireriez un profit tout autre.

Il avait suivi attentivement sur le visage mobile de Fanny les expressions qui s'y étaient succédé à mesure qu'il parlait :

une légère stupeur, un retrait suivi du petit mouvement de tête qu'il commençait à connaître et, à présent, ses yeux brillaient :

— Oui, dit-elle. Oui, je vois très bien ce qu'on pourrait tirer de cette aile bien qu'elle soit, comme le reste de la maison, plus délabrée que vous ne le pensez, et pour moderniser la cuisine il faudrait une somme... (elle le regarda.) C'était cela votre idée : m'avancer cette somme ? Vous savez bien que je ne peux pas accepter. On ne propose pas d'argent à une dame.

— Si j'étais une banque, vous l'accepteriez ? Admettons que je sois votre banquier. Qu'y trouveriez-vous à redire ?

— Rien, fit-elle avec embarras. Mais vous oubliez l'essentiel, je ne suis que la pensionnaire des Holmes, et je doute que Phœbé consente à ce qu'on transforme en boutique des murs qui ont abrité tant de juges et de gouverneurs !

— J'en suis moins sûr que vous. Je la crois assez réaliste et secrètement ravie de pouvoir scandaliser, le cas échéant, une partie de sa famille qu'elle méprise. Nous verrons bien tout à l'heure qui de nous deux a raison !

— Tout à l'heure ? Vous avez l'intention d'en parler ce soir à miss Phœbé ? Mais il faut réfléchir, il faut...

— Battre le fer surtout quand il est chaud ! Ce soir, vous êtes décidée...

— C'est vous qui le dites ! J'envisageais une hypothèse, c'est tout !

— Et moi je tiens à ce que cette hypothèse devienne rapidement une réalité. Je ne peux pas m'éterniser à Boston. J'y suis exactement pour quatre jours dont deux sont écoulés. Je dois ensuite repartir pour New York, y régler des affaires et après, quitter le Nord.

Elle caressait les cheveux de Jérôme qui commençait à s'assoupir :

— Pour regagner le Sud, n'est-ce pas ? Bien qu'il soit, dites-vous, affamé, vaincu. Qu'a-t-il donc de si attirant ? Et comment pouvez-vous aimer un pays où règnent des idées, un mode de vie à l'opposé de ceux pour lesquels vous vous êtes battu tant d'années. Car enfin, à Londres, vous meniez le combat des républicains ?

— J'aime le Sud pour lui-même sans aimer ses idées ni son mode de vie. La défaite, d'ailleurs, changera tout cela. Mes sentiments républicains eux, n'ont pas changé mais je ne suis plus capable d'assez d'idéalisme pour mener d'autre lutte que personnelle. Votre oncle Eymen l'avait compris.

— Vous venez pourtant de vous battre pour le Sud ?

— Moi ? Jamais de la vie ! (Devant son air déçu, il retrouva son air railleur.) La guerre sert mes intérêts. Je ne la fais pas. J'en profite.

— Mais c'est ignoble ! Et vous vous en vantez ?

Il dit avec une soudaine colère :

— Il y a une seconde, vous me reprochiez, à moi, républicain, mon attachement aux sudistes esclavagistes et féodaux. Je vous détrompe et je suis ignoble ! Mais comment croyez-vous que se gagne l'argent quand on n'a derrière soi ni une famille complaisante et riche, ni un héritage à hypothéquer, ni un métier qu'on puisse exercer parce qu'on ne vous a rien appris qu'à monter à cheval, discuter de futilités et baiser galamment la main des dames ? En jouant du piano ? En partant à la guerre ? En laissant sa femme confectionner des madeleines ? Est-ce plus estimable ? Est-ce le fait d'un homme conscient ou d'un gamin écervelé et trop gâté ?

Fanny serra le bébé contre elle et dit avec violence :

— Je vous avais prévenu que je ne supporterais plus que vous insultiez Flavien. Gardez votre argent, je n'en veux plus !

Il haussa les épaules, se leva en même temps qu'elle et l'accompagna sans rien dire jusqu'à la maison.

Elle s'efforçait au calme : les vieilles demoiselles avaient travaillé toute la journée pour que ce dîner rappelle un peu des splendeurs défuntes des Holmes. Elle ne voulait pas que leur plaisir soit gâché. Mais aussi pourquoi attaquait-il sans cesse Flavien ? Comme si... oui, exactement comme s'il le haïssait. De le constater la consternait, mais de ne pouvoir en définir le motif la troublait : elle n'avait jamais vu personne, jusqu'ici, détester Flavien !

* * *

Ce trouble persista pendant tout le début du dîner. Phœbé avait sorti la plus belle nappe, les assiettes de Wedgwood, ce qui restait d'argenterie. Deux candélabres massifs éclairaient les roses qu'il avait offertes à Diana et qu'elle avait disposées en surtout.

Était-ce ce décor inhabituel qui lui rappelait douloureusement les dîners d'autrefois dans la grande maison des quais et rendait plus sensible l'absence de Flavien ? Était-ce la conséquence du refus qu'elle venait d'opposer à l'offre de Claude-Henri ? Était-ce seulement dû à sa présence ?

Elle l'observait, tandis qu'il entretenait une conversation polie, presque mondaine, avec les vieilles demoiselles, visiblement charmées. D'où lui venait cette aisance ? Qui était-il réellement et à quelle famille avait-il appartenu s'il n'était pas le neveu du charron Simon dont Flavien lui avait parlé ?

Il y avait en lui un côté mystérieux, assurément fascinant, mais qui n'eût pas suffi à la troubler ainsi. C'était autre part qu'il fallait chercher. Dans une zone plus malaisée à définir. Une force émanait de lui, différente de celle des hommes qu'elle avait jusqu'ici rencontrée. Attirante et inquiétante à la fois comme le sourire de l'oncle Jérôme Eymen, comme une terre inconnue qui tente et qui effraie, comme un appel auquel on a envie de répondre sans savoir où il mènera.

Lui, de son côté, la regardait, sa bohémienne, sa caraque, assise en face de lui sous la lueur des bougies qui dorait son teint, ses cheveux, ses yeux, la rendait plus semblable que jamais au portrait de la glace, au regret qu'il en gardait, à cette nostalgie sourde du rêve qui persistait à l'escorter. Et ce qu'il y avait en lui de réaliste s'insurgeait : pourquoi était-il venu perdre quatre jours à Boston alors qu'il avait tant à faire à New York ? Pourquoi s'obstinait-il à l'appeler sa bohémienne — un possessif qui n'avait plus de sens ! Quelle femme vaudrait jamais un ranch comme celui qu'il allait maintenant pouvoir acheter ?

Et pour finir, son offre qu'elle rejetait, en petite fille entêtée qui ne veut pas admettre certaines vérités ! Il décida brusquement que son idée de pâtisserie se réaliserait, malgré Fanny, puisque ce ne pouvait être avec elle !

Il se tourna résolument vers Phœbé et lui exposa son plan. Comme il le pensait, Phœbé fut rapidement séduite, rabroua Diana, épouvantée à l'idée des commentaires du Tout-Boston, mais elle conclut par un énergique :

— Non, cher monsieur, je ne puis accepter de votre part un prêt pour lequel je ne puis vous offrir en contrepartie aucune garantie. Voulez-vous me dire ce que l'on peut tirer comme hypothèque de ces vieux murs que j'affectionne, ce qui ne les empêche pas, hélas, de crouler ! Le terrain a de la valeur, je le sais, mais c'est moi qui me refuse à courir le risque de le voir se vendre de mon vivant. Peut-être ai-je tort, mais c'est ainsi. Je regrette beaucoup, croyez-le bien, car votre idée me plaisait.

Sur le visage de Phœbé se peignait, de fait, un regret sincère. Le désappointement s'y lisait aussi clairement que le soulagement sur celui de Diana ! Fanny oublia la colère où venait de la mettre la perfidie de la manœuvre de Claude-Henri. Une idée lui venait à elle aussi, propre à aider Phœbé et à lui rendre à lui la monnaie de sa pièce !

Elle quitta vivement la table pour y revenir quelques instants plus tard, un écrin à la main. Elle le tendit à Claude-Henri :

— Ouvrez-le !

Les perles se mirent à luire entre l'éclat vert des émeraudes. Phœbé et Diana se récrièrent d'admiration :

— Que ces boucles d'oreilles sont belles, Fanny !

Lui se taisait, observait Fanny qui était pâle :

— Croyez-vous, demanda-t-elle, que ce bijou suffise comme garantie de votre prêt ? Représente-t-il une somme assez forte ?

— Sans être expert, je le pense.

— Alors prenez-les. Elles sont à moi seule. C'est le cadeau de noces que m'avait fait l'oncle Jérôme Eymen.

— Je ne peux pas accepter, dit Phœbé très émue, que vous vous sépariez de ce bijou, non, ma chère Fanny...

Il dit en l'observant toujours :

— Je n'ai pas l'intention de les vendre. Mme Morange pourra les récupérer dès que mon prêt sera remboursé.

— En ce cas..., dit Phœbé ébranlée.

— Acceptez, je vous en prie, miss Phœbé. C'est peu en échange de ce que je vous dois. Ces boucles d'oreilles ne servent à rien dans leur écrin au lieu que fabriquer des madeleines en plus grand nombre, à meilleur prix et avec bien moins de fatigue...

Diana poussa un faible gémissement que personne ne releva et la conversation prit un tour nettement pratique, si pratique que Phœbé, saisissant un des candélabres, le tendit à Claude-Henri :

— Éclairez-nous ! Je veux voir tout de suite, sur place, quels plans tirer !

Tandis qu'ils la suivaient, Fanny et lui, il murmura en souriant :

— Espèce de petite masque, je vous revaudrai ça !

Son sourire se figea devant l'expression dure du visage de Fanny :

— N'avez-vous pas compris que je ne veux rien vous devoir, rien ! Et mes boucles d'oreilles, je vous autorise à les vendre, si vous voulez vous rembourser plus vite !

Il eut alors un air tellement blessé que Fanny se sentit coupable, puis elle rougit. Elle venait brusquement de penser que peut-être il éprouvait pour elle... Mais non, c'était ridicule ! Qui pouvait être amoureux de son teint d'olive, de son corps trop mince, de ses yeux trop grands ? Qui, hormis Flavien ?

III

Elle avait tant de fois imaginé la scène du retour de Flavien, elle s'était tant de fois répété les dialogues, les gestes, lorsqu'elle ne parvenait pas à s'endormir le soir parce qu'elle était trop épuisée, trop solitaire, que c'était devenu pour elle comme ces passages de livres que l'on connaît par cœur et dont on peut recréer visuellement le texte.

Il regarderait, un peu effaré, la porte neuve et les vitrines de la pâtisserie, s'arrêterait surpris face aux marbres des tables, au comptoir d'acajou derrière lequel Phœbé, avec des airs de vieille reine accueillant ses sujets, rendait la monnaie aux clients. Il verrait, sans y croire, les ronds en dentelle de papier, les boîtes moirées portant en lettres gothiques le double nom Holmes-Morange et les madeleines empilées sur les compotiers de cristal. Et il dirait :

— Fanny ce n'est pas vrai, je rêve. Ce n'est pas toi qui as fait cela toute seule ?

Et elle, accourue de la cuisine où elle passait le plus clair de son temps pour surveiller la préparation, la cuisson — on ne pouvait se fier totalement aux aides ! et le bon renom de la maison l'exigeait — elle se jetterait dans ses bras, même s'il y avait des clients, riant, pleurant tout à la fois, et elle l'entraînerait d'abord voir Jérôme. Il le ferait sauter, il rirait :

— Fanny, mais c'est ton portrait ! Il n'a rien de moi ce bébé !

113

— Si, tu verras, il a ta gaieté et il est comme toi, il parle sans arrêt et il crie d'enthousiasme quand il voit des chevaux ou des pistolets !

Et alors il dirait, peut-être tout de suite, là, face à son fils, peut-être seulement le soir lorsqu'ils seraient couchés :

— Fanny, mon cabri, mon tout petit chat, si tu savais combien tu m'as manqué. Comme tu as eu du courage, mais à présent c'est fini, tu vas pouvoir te reposer, je suis de nouveau là pour te protéger, pour décider, pour t'aimer.

Il le dirait bien mieux que ça, avec ces mots qu'il savait si bien manier et qui l'avaient autrefois un peu agacée. A présent, même les écouter serait un tel repos, une telle joie...

Et il y aurait encore beaucoup de travail pour Flavien. La pâtisserie marchait bien, très bien même, mais les frais engagés avaient été considérables et la dette était encore loin d'être remboursée. On ne pourrait vraiment être tranquille qu'après avoir rendu son dernier dollar à cet étrange Claude-Henri qui semblait s'être fondu dans la même nuit que celle du Verdon lorsqu'il avait surgi à bord du *Virginia*.

La banque de Boston s'occupait de tout et il n'avait jamais écrit. On ne pouvait imaginer qu'il fût mort, il y avait en lui tant de force, une force qui faisait elle aussi parfois rêver Fanny, et parfois elle se demandait s'il avait vendu les boucles d'oreilles que, décidément, ni Laure ni elle n'auraient jamais portées !

Face au four, face aux madeleines, elle pensait souvent à sa grand-mère Balguière et elle se promettait d'écrire à l'oncle Jérôme au prochain nouvel an. Pour avoir tout de même quelques nouvelles à donner à Flavien quand il serait enfin de retour.

Elle fredonnait souvent la complainte à la mode :

« Quand finira cette cruelle guerre... »

Une guerre qui, hélas, ne semblait pas près de finir. Le Sud, écrasé, affamé, résistait et le découragement s'emparait du Nord en cet hiver 1864. Jusqu'à quand devrait-on lutter contre ces rebelles en guenilles, pieds nus, réduits à enrégimenter leurs esclaves noirs et à se battre sans chevaux, sans fusils, en chantant *Dixie* ? Depuis le temps que l'on disait : « C'est leur dernier sursaut, celui du désespoir », on finissait par ne plus y croire...

Sous le froid de janvier, Boston, avec ses toits à pignons enneigés et ses arbres tendus de givre, avait l'air d'une carte postale de Christmas anglais. Fanny, debout sur le seuil de la porte de la cuisine, regardait vaguement le jardin en respirant avec plaisir un peu d'air froid tonique au sortir de la chaleur des fours, lorsqu'elle vit s'avancer un homme enveloppé d'une vieille pèlerine et qui semblait marcher avec difficulté. Il fallut qu'il soit tout près d'elle et qu'il levât la tête pour qu'elle reconnût Flavien.

Et tout ce qu'elle parvint à dire ce fut :

— Comment es-tu ici ? La guerre n'est pas finie ?

Elle regardait, incrédule, la longue barbe, les yeux creux, et ce regard éteint, indifférent comme la voix qui ne ressemblait plus à celle de Flavien, une voix atone :

— J'ai réussi à m'évader. Laisse-moi entrer. Je n'en peux plus.

Il s'effondrait sur une chaise, dans la cuisine et fermait les yeux, tandis qu'elle restait là, immobile, avec ce poids intolérable qui lui faisait un corps de plomb.

Il rouvrit les yeux, dit en hachant les mots :

— Il faut que je m'étende. Aide-moi à monter.

Il grelottait, s'arrêtait à chaque marche pour reprendre souffle. Arrivé dans leur chambre, il s'allongea sur le lit sans même enlever sa pèlerine usée ni ses bottes déchirées et mouillées.

— Rassure-toi. Je n'ai plus de vermine. Viens. Approche-toi.

Elle s'agenouilla près du lit. Yeux clos, il avança les mains en tâtonnant, comme un aveugle, et elle regardait ses doigts qui n'étaient plus que des crevasses. Lorsqu'ils se posèrent sur ses cheveux, elle enfouit son visage dans la courtepointe et elle aurait voulu pouvoir se boucher les oreilles pour ne pas entendre la voix étranglée qui murmurait :

— Fanny, oh, Fanny, Fanny...

Elle savait qu'il pleurait et elle crispait ses doigts sur le tissu des Indes comme s'il avait été une planche l'empêchant de sombrer.

Elle songea soudain à Jérôme, releva son visage, dit doucement :

— Tu n'as jamais reçu la lettre où je te disais que le bébé était né ?

Il secoua la tête.

— C'est un garçon, tu sais. Je l'ai appelé Jérôme. A cause de l'oncle Eymen. Je vais le chercher.

Les mains de Flavien serraient plus fort ses cheveux :

— Non. Ne t'en va pas déjà. Ne me laisse pas. Cet enfant, j'ai le temps de le voir. Fanny, j'ai tant souffert. Fanny, tu ne peux pas savoir...

Et c'était elle qui disait les phrases que dans son rêve elle lui avait fait dire :

— Tu as eu tant de courage, mon chéri, mais à présent c'est fini. Tu es rentré, tu es près de moi. Ne pense plus au passé. Je suis là pour te protéger. Tu vas pouvoir te reposer.

D'une voix qui s'efforçait de ne pas trembler, qui s'efforçai d'être apaisante et pour se donner du courage, elle pensait : « quand il sera redevenu bien portant », comme elle avait pensé pendant des semaines : « quand il sera rentré... »

* * *

Il se tenait sur la galerie extérieure entre les piliers trop sculptés couverts de poussière rousse, comme le vieux Sam Morgan s'était tenu tant d'années. Et il regardait, groupés autour de l'aire plus vaste qu'une place de village, les bâtiments principaux construits au centre du ranch, donjon d'une forteresse couvrant vingt mille hectares, avec, sur ses limites, comme autant de tours d'angle, les camps de bétail où habitaient les cavaliers.

Sa forteresse, son fief dont il était enfin le suzerain. Sam Morgan était parti la veille et ce soir, pour la première fois, il était le maître du ranch, non plus Santa Clara mais le French Ranch, le ranch du Français ! Qu'importait qu'il n'ait pu retrouver la place exacte de celui de Jérôme Eymen. L'idée lancée par le vieil homme était tout de même devenue cette réalité : vingt mille hectares, trente mille bêtes encore marquées du grand S de Sam Morgan, mais celles qui allaient naître porteraient imprimées sur leur robe sa marque à lui, le F qu'il avait déposé au registre du chef-lieu du comté de Santa Clara. F de French, F... comme Fanny. La coïncidence le fit sourire avec un rien de nostalgie. Fabriquait-elle encore ses madeleines ? Avait-elle été étonnée en revoyant Flavien ? Lui avait-il dit la vérité sur sa soi-disant évasion ? Non, sans doute. Peu importait !

Ce soir, aucune pensée ne pouvait l'assombrir : ni l'idée qu'il avait en somme perdu Fanny pour relever le défi qui l'avait tant blessé : je ne veux rien vous devoir ! — elle lui devait d'avoir un mari en vie, même si elle l'ignorait ! — ni l'idée qu'à Londres des hommes continuaient un combat qui avait été le sien pendant dix années et qu'il avait rejeté... Il gardait tout de même la montre de Simon comme il gardait les boucles d'oreilles de Fanny, une sorte de talisman ! Ni même l'idée dont il avait le plus souffert, qui était à l'origine de sa fuite, de sa révolte, celle de sa naissance, de l'inconduite de sa mère, de son constant mensonge, non, même cela, ce soir, s'estompait.

Il se sentait enfin un homme libéré. Dans le crépuscule déjà lourd de mai, le ciel rouge plaquait des accords violents sur l'horizon des herbes qui jaunissaient aux endroits les plus secs. Du groupe de maisons d'adobes qu'habitaient les vaqueros mexicains montaient des cris d'enfants, des odeurs de friture, des notes de guitare. Les fumées des feux traînaient molles et grises dans l'air sans vent. De la forge venait le bruit régulier de l'enclume et de la cuisine, l'inévitable air d'harmonica que jouait Billy, le cuisinier exécrable, que Sam Morgan lui avait légué.

Il n'avait pas du tout l'intention de se nourrir de bacon brûlé et de maïs cru ! Il en parlerait à Paco. Où était-il ? Si la passation des pouvoirs avec le vieux Morgan s'était effectuée sans heurts, si la plupart des vaqueros et des cow-boys avaient sans réticence apparente admis leur nouveau maître, Paco, à sa façon muette, continuait, lui, d'observer. Il ne serait pas conquis facilement ! Son mépris des « gringos » s'étendait à tout ce qui n'était pas espagnol et Claude-Henri n'ignorait pas que si tous les autres l'appelaient French, Paco ne le désignait jamais autrement que par un « Frencher » tombé du bout des lèvres comme une condamnation.

Et lorsqu'il s'adressait à lui, il disait « señor », alors qu'il disait « hombre » au vieux Morgan. La nuance était de taille dans la bouche d'un vaquero mexicain plaçant plus haut que tout la fierté d'être libre. Monsieur comme à un citadin, un inférieur méprisé, homme comme à un égal.

Et cela n'était pas un détail négligeable, car plusieurs faits, déjà, s'étaient produits, qui avaient déplu à Claude-Henri. Bien qu'il eût acquis le ranch depuis plusieurs semaines, Paco affectait de ne rendre des comptes qu'au seul Morgan. Et c'était par hasard que Claude-Henri avait appris que les cavaliers du camp de bétail le plus au nord du ranch étaient à l'affût d'un voleur de chevaux. Un solitaire apparemment et non une de ces bandes qui commençaient à pulluler, déserteurs de l'une ou l'autre armée, fuyards venus de plantations de l'Ouest ravagées par les soldats yankees, toute la décomposition habituelle, séquelle des défaites. Ces bandes-là mettaient en coupe réglée les petits ranchs voisins mais n'avaient pas encore osé s'attaquer à celui-ci. Une fois leur coup fait, ils disparaissaient au Mexique — ça leur était facile, le rio grande n'était pas loin !

Le voleur du ranch nord devait être plutôt quelque desperado. Petite envergure et petit préjudice, mais ce n'était pas une excuse au silence qu'avait gardé Paco.

Lorsqu'il lui en avait fait le reproche, d'un ton sec, Paco était parti sans répondre, ce qui avait achevé d'irriter Claude-Henri.

Maintenant Sam Morgan n'était plus là, et il allait falloir que Paco et tous les hommes du ranch se mettent bien dans la tête que lui seul commandait !

Il aperçut le nuage de poussière avant d'entendre le martèlement des sabots, de voir les cavaliers arriver au galop, Paco à leur tête.

Une fois sur l'aire, ils stoppèrent leurs montures d'un coup. Cow-boys et vaqueros, de toutes parts, accouraient. Paco cria un ordre. Deux d'entre eux défirent le lasso qui tenait le voleur garrotté en travers d'une selle. L'homme roula par terre. Ils le relevèrent à coups de pied.

Paco lança son propre lasso autour de la potence placée à demeure dans un angle, sur l'aire. D'un coup précis, il fit un nœud coulant, engagea dans le nœud le cou du voleur. Les hommes commencèrent à le hisser. Il était déjà à demi étranglé mais se débattait encore.

Lorsque la corde fut à bonne hauteur, Paco se tourna enfin vers la galerie, un défi dans les yeux. Tous les hommes regardaient à présent eux aussi Claude-Henri.

Il ferma d'un coup sec ses mains brunes. Puis il tira son pistolet, fit feu et trancha la corde juste au-dessus de la tête du pendu. Le corps tomba dans la poussière.

Il y eut un silence et la voix de Paco s'éleva, méprisante :

— Un voleur de bétail se pend toujours. C'est notre loi !

Il avait insisté sur le « notre ». Les hommes approuvèrent de la tête sans cesser de fixer Claude-Henri.

— Je sais, mais sur mon ranch on ne pend pas un homme sans mon ordre. Lance une autre corde !

Paco demeura une seconde figé. Le silence, à présent, prenait une sorte d'épaisseur.

— Il a raison, cria une voix. Celui-là, c'est un homme ! Este es un hombre, Paco !

Paco, impassible, lança un autre lasso et on pendit définitivement le voleur.

Lorsque ce fut fini, Claude-Henri tourna le dos et rentra dans la maison.

*   *   *

L'oncle Théodore arriva un matin, sans crier gare, et se présenta à la pâtisserie. Il commandait un trois-mâts qui faisait escale à Boston. Phœbé le fit accompagner dans la chambre de Flavien et envoya à la cuisine prévenir Fanny.

Lorsqu'elle entra, très émue, elle trouva les deux hommes en grande conversation et remarqua le silence soudain qui l'accueillait. Théodore avait peu changé et il embrassa Fanny avec affection.

Il lui sembla qu'il hésitait un peu avant de dire d'un ton enjoué :

— Eh bien, ma nièce, je suis chargé de vous annoncer officiellement deux très bonnes nouvelles : d'abord, notre Flavien est gracié. La mesure de proscription qui le frappait a été rapportée. On s'attend, du reste, à une amnistie générale sous peu. Vous pouvez donc rentrer quand bon vous semblera.

Fanny regarda Flavien. Mais il évita son regard. Elle avait l'habitude de ces constantes dérobades. Car s'il était, maintenant, redevenu physiquement le même, moralement il était très changé. Irritable, nerveux à l'extrême, se refusant obstinément à voir quiconque — on arrivait avec peine à lui faire quitter sa chambre — il avait pris en horreur la pâtisserie, ne voulait pas en entendre parler et s'ingéniait à retenir Fanny près de lui pour l'empêcher de s'en occuper. Lui qui avait tant aimé parler était devenu taciturne et lui qui avait été si gai, si insouciant, ne se décidait même pas face aux rires de son fils. Jérôme, d'ailleurs, ne semblait pas l'intéresser. Fanny n'avait pas seulement réussi à savoir comment il s'était évadé. Il disait sèchement : « C'est un sujet que je veux oublier ! » Et il avait été si en colère en apprenant qu'elle avait vendu les boucles d'oreilles qu'elle n'avait pas osé lui dire à qui...

Elle le regardait à présent, assis à sa place habituelle, près du piano qu'il avait fait monter dans la chambre bien qu'il n'ait pas joué une seule fois. Il le laissait ouvert et de temps en temps caressait les touches d'un air absent qui était insupportable à Fanny. Les médecins parlaient de neurasthénie et recommandaient la patience et elle avait envie de rire tristement.

Elle qui avait été l'impatience même supportait depuis trois mois les sautes d'humeur de Flavien, son indifférence, ses sarcasmes, ses exigences et les brusques flambées d'excitation qu'elle redoutait plus encore que son apathie, car elles le laissaient ensuite amorphe pendant des jours. Il était encore amoureux par moments mais tendre bien rarement.

Quel effet venait de lui produire la nouvelle d'un possible retour en France ? Une nouvelle qui l'atterrait, elle n'avait aucune envie de rentrer en France.

Comme Flavien ne manifestait rien, elle dit :

— Vous aviez annoncé deux nouvelles, mon oncle.

Théodore sourit :

— Oh, la seconde a moins d'intérêt pour vous et cela se conçoit. Il s'agit simplement du mariage de Camille. Elle vient d'épouser un officier de dragons. Je ne crois pas que vous l'ayez connu. Il a dû arriver au moment où vous partiez. Le vicomte Mathieu de Livran.

Flavien eut un sourire caustique :

— Si fait, je me souviens, non point de lui mais de son alezan. A propos notre chère Blanche a-t-elle, depuis mon départ, recommencé à monter ses chevaux ?

— Ton ironie n'est pas de bon ton, dit sèchement Théodore.

Flavien haussa les épaules :

— Tu es devenu bien puritain. Tu devrais vivre ici ! On y respire un ennui mortel ! Dont je dois reconnaître que Fanny nous a délivrés à sa façon ! Personne ne nous reçoit plus depuis qu'elle a imaginé de jouer à la pâtissière ! Jamais je n'aurais cru voir un jour notre nom sur des boîtes de madeleines ! Comment feras-tu, en France, pour vivre comme tout le monde, Fanny ?

— Je ne rentrerai jamais en France. Jamais.

Et elle sortit de la chambre laissant Flavien et Théodore également stupéfaits.

Mais ce fut seulement le soir, après le départ de Théodore, que Flavien réclama une explication.

— Ainsi, tu ne veux pas rentrer en France ?

— Non.

Elle pensa : s'il demande pourquoi, je lui dirai la vérité, quoi qu'il m'en coûte. Je la lui dois.

Il se borna à dire avec colère :

— Et si je le veux, moi, si je l'exige, car je suis en droit de l'exiger, non ?

Elle se cabra :

— Ici nous vivons libres, indépendants, et nous pourrions même, si tu daignais t'en donner la peine, faire de cette pâtisserie une biscuiterie importante et qui nous permettrait de vivre plus que largement. Si nous rentrons en France, que feras-tu ? Je me refuse, quant à moi, à vivre une nouvelle fois de la charité de Blanche !

— Qui parle de cela ? L'oncle Jérôme t'a légué... (Il s'arrêta, haussa les épaules.) Oui, il est mort. Je ne voulais pas que tu l'apprennes (son regard de nouveau se dérobait), enfin... que tu l'apprennes trop...

— Trop tôt ? C'est ça ? Tu savais bien qu'il était le dernier lien qui me rattachait à eux, là-bas. Ce lien rompu...

Elle aussi s'arrêta, la colère cédant au chagrin. Il était mort. Sans qu'elle l'ait revu. Et elle avait vendu ses boucles d'oreilles, mais il avait dit, il avait dit... Elle éclata en sanglots. Flavien commença :

— Je sais combien tu l'aimais et je comprends...

Que comprenait-il ? Personne ne pouvait comprendre. Qu'il se taise ! mais qu'il se taise ! Et il continuait à dévider de petits bobineaux de soies douceâtres et il reparlait de cet argent. Comment osait-il tout mêler ?

Un mot la toucha :

— Il t'a légué aussi le portrait de ta grand-mère Balguière.

— Je demanderai à l'oncle Théodore de me le rapporter à un prochain voyage.

Elle revoyait la chambre de l'oncle Jérôme inondée de soleil — il aimait tant de lumière — et le portrait de Laure avec ses boucles rousses, son turban d'odalisque, ses yeux durs. Elle savait maintenant pourquoi ce portrait était pendu là, face au lit. Flavien le lui avait expliqué. Un amour si profond, si malheureux et le ranch du Français...

La voix furieuse de Flavien la ramena au réel :

— Tu tiens vraiment à tes idées ! Ce que je peux moi, penser, souhaiter, tu t'en moques, tu me sacrifies à tes madeleines, hein !

— Ne sois pas ridicule ! Je t'en prie. Je ne te sacrifie à rien. Essaie de comprendre. Je te demande seulement encore quelques années de répit. Je te promets qu'après j'essaierai de rentrer en France. Je suis sûre que l'oncle Jérôme m'approuverait, lui.

— Bien entendu ! (Il eut un geste lassé.) Tu prends cette décision seule, n'est-ce pas ? Eh bien, attends-toi à être seule pour en porter le poids, et ne viens jamais te plaindre, car c'est toi qui auras engagé notre avenir dans une voie que, moi, je ne souhaitais pas.

Elle hocha la tête. Seule ? Quand ne l'avait-elle pas été ?

* * *

Les semaines qui suivirent, Flavien changea. Il recommença à sortir de longues heures en ville. Il se rendit même deux fois à New York. Il ramena des cadeaux à Phœbé qui les accepta avec une politesse glacée : Flavien ne lui était pas excessivement sympathique et la réciproque était vraie ! Diana plaisait davantage à Flavien : elle le plaignait avec tant de timidité ! Elle aussi eut des cadeaux, Jérôme des jouets et Fanny un grand flacon de parfum.

Il avait l'air presque aussi heureux, il était presque aussi gai qu'avant sa captivité à Andersonville. Un soir, à la fin du dîner, il dit :

— J'ai une nouvelle à vous annoncer : je viens d'acheter une grande propriété au Kansas.

Un silence s'abattit autour de la table. Même Phœbé, l'indomptable Phœbé, demeurait bouche bée.

— Oui, reprit avec aisance Flavien. Ce sont des terres neuves d'une incroyable fertilité. Le maïs et le blé y poussent comme ailleurs la mauvaise herbe. Le chemin de fer arrive déjà à Westport qu'on m'a décrit comme une ville très plaisante et qui n'est éloignée de ma propriété que de quelques centaines de milles — trois fois rien quand on songe à l'immensité de la Prairie. Le nom même de Kansas a du charme : le pays du vent du Sud, en dialecte indien. Ce même dialecte qui a donné le nom de Chamane Lodge à mon futur domaine. Que je compte d'ailleurs rebaptiser Chapeau-Rouge. Cela ne t'étonnera pas, je suppose, Fanny ?

Le regard de Flavien enfin cherchait le sien.

Elle inclina la tête sans pouvoir prononcer aucun mot.

— Monsieur Morange, dit Phœbé avec une lenteur inaccoutumée, avez-vous l'intention d'aller vivre au Kansas et d'exploiter cette terre vous-même ?

— Naturellement ! Pourquoi l'aurais-je achetée s'il en allait autrement ? Fanny souhaitait rester en Amérique. Je me suis incliné devant son désir, mais comme je ne souhaitais moi ni rester à Boston ni continuer à respirer des odeurs de madeleines, j'ai coupé la poire en deux et opté pour un changement total de décor.

— Total, vous l'avez dit ! Monsieur Morange, je n'ai pas pour habitude de mâcher mes mots à qui que ce soit et je vous dis tout net : c'est de la démence de partir là-bas. Que savez-vous de la vie que l'on mène sur cette lisière du grand désert américain plus poétiquement nommé la Prairie ? Avez-vous entendu parler des maisons de mottes de terre ? Des milles et des milles sans un arbre, sans autre ombre que celle des charrettes ? Des étés torrides, des hivers glacés, des os de bisons pour tout combustible, tout chauffage ? Le plus proche voisin à cinquante milles, les Indiens beaucoup plus près et un travail si rude que les femmes y sont vieilles à trente ans et mortes à quarante ! Est-ce là ce que vous souhaitez pour Fanny et pour votre fils ?

126

— Chère mademoiselle, laissez-moi rire ! On voit bien que Boston vit enfermée entre ses trois collines, que le monde y finit et y naît ! J'ai de tout autres renseignements ! Et permettez-moi de vous dire que je n'achète pas comme un immigrant pauvre, droit sorti de la cale puante d'un vapeur, de ces concessions mirifiques que vantent les journaux et sur lesquelles spéculent les propriétaires des lignes de chemins de fer. Par ailleurs, je ne suis pas Américain, je n'ai donc pas subi le mirage de l'Ouest qui pousse comme une démangeaison les fermiers de Nouvelle-Angleterre à s'entasser un beau matin avec leur basse-cour dans la même charrette pour aller bâtir à leurs fils un avenir élargi et radieux ! J'ai gardé la tête froide et je m'y connais encore un peu en affaires : j'ai acheté une maison de maître avec ferme attenante occupée par des domestiques agricoles, un jardin, un potager et deux mille hectares de terre !

— Celui à qui vous avez acheté, pourquoi donc vendait-il ?

— Parce qu'il s'y était si bien enrichi que deux mille hectares ne lui suffisaient plus. Il voyait plus grand, plus à l'ouest. Car, autre point de détail à rectifier, Chamane Lodge n'est pas sur ce qu'on nomme la frontière mais en deçà et personne n'a vu un Indien dans le coin depuis...

— Ne cherchez pas depuis quand ! Vous ne me convaincrez pas davantage, monsieur Morange, que je ne vous convaincrai ! Restons-en là ! Pour la pâtisserie, que comptez-vous faire ?

— Je vous en laisse l'entière propriété, mademoiselle. Ce sera le cadeau de Fanny en reconnaissance de ce que vous avez fait pour l'enfant et pour elle.

Phœbé tapotait sa fourchette. Diana était horriblement gênée : cette discussion d'affaires ! Et comment Phœbé pouvait-elle parler aussi vulgairement et mettre en doute le bon sens de ce pauvre M. Morange qui avait tant souffert et qui était si charmant ! Mais, bien sûr, le Kansas ce devait être... ce devait être grisant !

Fanny était blême et ne disait pas un mot. Pour prendre aussi durement sa revanche, Flavien s'était-il senti à ce point humilié par la réussite de la pâtisserie ? Avait-il tant souffert de ne pas rentrer en France ? Ou bien était-ce simplement une réaction extrême, celle des êtres faibles ? Et cette terre du Kansas, il l'avait payée avec l'argent que Jérôme Eymen lui avait laissé à elle... sans même la prévenir ; cette pâtisserie pour laquelle elle avait tant travaillé, il en faisait cadeau à Phœbé, comme ça, d'un geste nonchalant, et les boucles d'oreilles, par-dessus le marché, qu'elle ne reverrait sûrement jamais !

Elle se redressa :

— Tu es bien aimable d'avoir pensé pour moi à tout, même aux cadeaux que je pouvais faire. Si tu as voulu me ménager une surprise, sois content : elle est réussie ! Il n'y a qu'un point sur lequel je ne transigerai pas : je veux voir cette propriété avant d'y emmener Jérôme. Je pense que vous voudrez bien accepter, miss Phœbé, de le garder un peu de temps ?

— Oh, dit Phœbé rayonnante, Fanny, c'est un plus beau cadeau que la pâtisserie ! Et outre le plaisir que j'ai à le garder, c'est la sagesse. (Elle darda un œil dur sur Flavien.) Emmener Fanny au Kansas, c'est de la folie, mais cet enfant, ce serait criminel !

Flavien haussa imperceptiblement les épaules mais sourit aimablement à la ronde. Il avait malgré tout redouté un éclat de Fanny. Son coup de poing sur la table s'était finalement mieux passé qu'il n'osait l'espérer.

128

Pour la première fois depuis son retour d'Andersonville, il fredonnait en se déshabillant et il lança gaiement à Fanny désarmée par tant d'inconscience :

— Tu verras, mon cabri, d'ici six mois, tu seras la reine du Kansas et dans un an on s'arrachera les invitations à tes bals !

Désarmé parce que désarmant. Un enfant.

TROISIÈME PARTIE

I

L'insouciante phrase de Flavien se serait-elle inscrite aussi profondément dans la mémoire de Fanny si elle n'avait elle-même, inconsciemment, partagé ses illusions ?

Tout le temps qu'avaient duré les préparatifs de départ au Kansas, puis au cours du voyage long et fatigant, dans les wagons de bois, peints de couleur violente, de chemins de fer qui, malgré la guerre, les Indiens, les intempéries, le relief, poussaient obstinément leurs rails de plus en plus avant vers l'Ouest, oui, pendant tout ce temps, elle avait un peu cru ce que Flavien disait.

Maintenant elle se tenait, raidie, figée, cramponnée depuis trois heures aux montants de bois de cette grande charrette bâchée où ils avaient entassé comme ils avaient pu leurs bagages, le piano que Flavien s'était entêté à faire suivre et qui cahotait par-derrière comme tout cahotait sur cette mauvaise piste, achevant de les épuiser, de leur briser les reins...

En descendant de la diligence, au dernier relais, elle avait jeté un coup d'œil atterré sur cet antique attelage que ne tiraient même pas des chevaux mais des mules ! Un coup d'œil inquiet sur l'étrange cocher qui s'était présenté sans ôter son chapeau et avait grogné qu'il s'appelait Joe et qu'il était leur domestique. Sans âge, maigre, avec deux grandes rides qui tiraient ses joues et des cheveux gris couvrant ses épaules, il ressemblait plus à un vagabond qu'à un valet, même de ferme !

Au seul coup d'œil qu'il avait jeté sur elle, Fanny avait compris qu'il ne lui serait pas aisé de le commander : il était évident qu'il avait un grand mépris des femmes ! Et ne pouvait-il s'arrêter de chiquer ce mélange de feuilles de maïs et d'herbes sèches qui achevait de soulever le cœur de Fanny ?

Depuis trois mortelles heures, la charrette cahotait dans une désolante monotonie et l'on n'avait encore vu ni un arbre, ni une maison, ni un labour... Où étaient les terres cultivées, les villages, les fermes ? De loin en loin de grands tas d'os blanchissaient : « bisons », avait grogné Joe, sans daigner se retourner, dos voûté sur le siège avant, bras et jambes ballants.

Cette charrette la faisait songer à celles qui portaient les bastes des vendanges, à Chapeau-Rouge, dans l'air déjà acide des crépuscules d'octobre, quand la brume montait des terres de paluds et des règes de vigne. Et elle n'osait pas regarder Flavien. Lui aussi se taisait à présent. A quoi pensait-il ?

On aperçut enfin un champ, le premier. Des pousses vertes de maïs pointaient entre les mauvaises herbes. Puis un second, encore plus mal tenu, et un peu plus loin, trois grands pins et une maison. Était-ce la hauteur des pins qui la faisait sembler si basse ou l'illusion d'optique née d'un horizon aussi plat ? Et où étaient donc les granges, les communs, le jardin ?

Fanny avait la gorge serrée. Flavien s'écria :

— Mais qu'est-ce que font là toutes ces carrioles ? Et quels sont ces gens ?

— Sont les voisins, dit Joe. Sont venus pour la bienvenue. C'est l'habitude.

— Quels voisins ? dit Fanny. Nous n'avons pas croisé une seule habitation depuis trois heures !

Joe eut une espèce de ricanement :

— Sont loin ! Viennent de dix milles et plus !

— Et ces fumées ? Ils font des feux de joie aussi pour fêter notre arrivée ?

— Font rôtir la viande. Faut bien manger !

Et parce que cette idée de vendanges la poursuivait, elle pensa : « Une gerbebaude ! Une vraie gerbebaude ! »

Avec un peu d'ironie, un peu d'émotion et finalement beaucoup de joie. Et lorsque la charrette s'arrêta enfin, lorsqu'elle vit tous ces visages tournés vers eux, qu'elle entendit les hourras et les premiers accords de violon, que s'éleva la vieille chanson de route : « Courage, ô frères ! Nous y allons, au-delà des montagnes, vers l'Ouest, ho ! Plus loin que les collines en légions, la belle étoile de la liberté montre les terres du couchant, ha ! », elle sauta de la charrette et, dans un geste spontané, embrassa la première femme qu'elle trouva en disant :

— Merci. Oh, merci.

C'était une grande femme maigre qui avait de beaux yeux bruns dans un visage ridé de soleil et de vent. Elle portait le bonnet des femmes de l'Ouest, le bonnet de soleil un peu délavé, un corsage usé mais frais repassé et la jupe de tiretaine — un uniforme, apparemment, car toutes les autres fermières étaient vêtues de même.

Elle serra Fanny contre elle et eut ensuite un geste qui la mit mal à l'aise. Prenant une des mains de Fanny, elle la caressa en murmurant :

— Comme elle est douce !

Sa main à elle était calleuse, toute brune et toute flétrie. Quel âge avait-elle ? Fanny se le demanda avec un peu d'effroi. Mais la fermière à présent souriait avec tant de chaleur, disait :

— Je suis Sarah Smith, votre plus proche voisine, et le grand là-bas, qui a des cheveux roux, c'est Hugh, mon mari. On habite seulement à six milles et j'espère qu'on se verra quelquefois ! Attendez que je vous présente les autres !

Une dizaine de femmes se pressaient, embrassaient Fanny chacune à leur tour, riaient, et leur rire avait une résonance étrange dans leurs visages burinés, détonait avec leur regard grave, comme un peu triste. Fanny songea encore : « Un regard résigné. » On commentait sa toilette. On lui posait dans les bras des bébés. Elle parlait de Jérôme et son cœur se serrait. Son bébé à elle était si loin et quand pourrait-elle aller le chercher ? Flavien avait dit à l'automne. Elle le répéta tout haut. Les femmes hochèrent la tête.

— C'est la sagesse, dit l'une. L'été, ici, c'est trop chaud pour un enfant qui est pas né là !

— Venez voir votre maison, dit une autre.

Et toutes l'entraînèrent vers ce qui ressemblait davantage à la maison de mottes prédite par Phœbé qu'à Chapeau-Rouge que Flavien avait rêvé de recréer !

Mais Fanny aurait eu mauvaise grâce de marquer son désarroi, presque sa détresse face au crépi grossier, aux trois malheureuses pièces mal meublées, mal planchéiées de bois brut. Ce qui la désolait faisait tant s'extasier les autres femmes ! Vivaient-elles donc dans une pièce unique, sur la terre battue ? Elle n'osait pas le demander.

Finalement, sous le soleil de mai, Chamane Lodge lui parut une maison originale et gaie ! Et le ruisseau au bord duquel avaient poussé les trois pins — le Chamane Lodge Creek qui avait donné son nom à l'endroit — coulait gaiement aussi.

Au milieu des hommes, Flavien discourait. A grand renfort de « Mes amis, mes chers amis ». Avec sa redingote et sa chemise fine, sa cravate élégante et son gilet à fleurs, il était tellement déplacé ! Il avait l'air d'un homme politique en tournée électorale dans des campagnes reculées et Fanny surprit avec un léger pincement de cœur les regards qu'échangeaient entre eux plusieurs fermiers.

L'impression première de gerbebaude, de gaieté villageoise, s'accentua tout au long de cette curieuse journée, au cours du pique-nique, des conversations de l'après-midi, du bal enfin qui clôtura la fête.

Flavien, dont l'excitation n'avait fait que croître et qui parlait de plus en plus et de plus en plus haut, voulut à toute force déballer le piano et il se mit à accompagner les violons et cria à Fanny :

— Regarde ! C'est la plus belle salle dont je pouvais rêver. Ici nous sommes tous libres, égaux et frères !

Elle regardait plutôt l'étrange domestique — le seul de Chamane Lodge apparemment ! — ce Joe qui était resté muet comme une carpe toute la journée et qui s'avançait à présent vers les couples en train de danser. Il avait un regard furieux, sa bouche frémissait autant que sa barbe, et il tonna soudain :

— Jézabels ! Femmes pécheresses ! Écoutez-moi, Jézabels ! Le Seigneur le dit dans son livre : je détruirai cette cité impure et je livrerai ses habitants aux flammes de l'enfer, car ils ont fait un dieu de leur ventre et...

Nullement impressionnées, les femmes riaient. L'une d'elles cria :

— Hé, Dave, fais-le taire ! On entend plus bientôt les violons !

Sarah Smith surprit le regard effrayé de Fanny :

— N'ayez pas peur. Il n'est pas dangereux. Il a des moments comme ça, des crises. Il est un peu illuminé et il a passé sa jeunesse à Salt Lake City, chez les mormons ! Mais c'est un bon travailleur, vous verrez. Il est très adroit en plus et il connaît bien le travail d'ici.

Le regard de Sarah était posé sur Flavien et Fanny en comprit le sens : Sarah pensait qu'à Chamane Lodge on aurait bien besoin de Joe !

Elle dit encore :

— Je vous expliquerai, si vous ne savez pas faire. Traire la vache par exemple ou cuire le pain de maïs ou les galettes de pulpe de citrouille. La citrouille pousse bien ici. Et vous avez, vous, ce ruisseau. Il est rarement à sec, même au cœur de l'été. Et pourtant les étés sont chauds. Aussi chauds que les hivers sont froids. C'est le malheur ici : les racines gèlent et les plantes se dessèchent. Enfin (elle sourit), enfin pas toutes les années. Et puis, vous verrez, on s'y fait !

* * *

Au prix de quelle résignation, de quel courage quotidien, de quelle ténacité patiente qu'elle n'arrivait pas, elle, à savoir ?

Elle y songeait cet après-midi d'automne en balançant le berceau où pleurait la petite Belle, sa seconde enfant. Depuis la « gerbebaude » d'arrivée, un an et demi s'était écoulé, deux étés torrides et un hiver épouvantable dont elle conservait un souvenir de cauchemar — jamais elle n'avait eu aussi froid au corps et au cœur. Quatre mois sans voir personne, quatre mois à écouter hurler un vent que rien, dans ce désert de neige, n'arrêtait et la déception de n'avoir pu aller chercher Jérôme comme Flavien l'avait promis. La récolte de maïs avait été trop dérisoire et le transport si

138

onéreux jusqu'au seul marché où avaient lieu les ventes, qu'il n'était plus resté assez d'argent pour entreprendre le voyage de Boston. Elle en avait eu un tel désespoir qu'elle avait remâché tout un après-midi les reproches qu'elle jetterait au nez de Flavien. Mais en rentrant, il avait dit :

— Le dernier carré de vigne est mort.

Et quand on savait de quels soins il avait entouré ses vignes symboliques qu'il s'était acharné à planter, à sarcler, à arroser, on ne pouvait plus que se taire et garder pour soi sa rancœur, et tant pis si elle vous étouffait ! Tant pis si se dégradait lentement, dans un travail trop dur et pour lui et pour elle jusqu'à l'ancienne affection, l'affection de toujours qu'ils s'étaient portée...

Heureusement, Belle était née, et cela avait un peu arrangé les choses. Flavien adorait sa fille et l'avait appelée Gabrielle en souvenir de sa mère. Et il la trouvait le plus beau bébé du monde.

Fanny se pencha sur le berceau, sourit avec tristesse, au petit visage malingre de Belle. S'était-elle trop fatiguée en portant le bébé, était-ce la conséquence d'un accouchement difficile dans la chaleur torride d'août, avec la seule aide de Sarah ? Belle était un bébé fragile, menu, qui ne rappelait en rien le gros bébé bien portant et robuste qu'avait été Jérôme. Et elle pleurait si souvent !

Fanny se remit à la bercer, le cœur serré à la pensée que son autre enfant grandissait loin d'elle, que jamais elle ne saurait quel visage il avait eu à un an, à deux ans... quels mots il avait dits, quels gestes il avait faits... Tous ces mois de la vie de son enfant perdus pour elle... Et jusqu'à quand ?

Rien ne réussissait, ni les plantations d'arbres ni les cultures, et pourtant Flavien s'entêtait. Il ne voulait pas entendre parler de rentrer à Boston ! Pensait-il encore à

Andersonville ? Il n'en parlait jamais et n'avait rien manifesté le jour où l'on avait appris que la guerre était terminée. La victoire du Nord l'avait laissé de marbre.

Elle n'avait pu s'empêcher de penser, elle, à Claude-Henri. Où était-il ? Quelque part dans le Sud. Il avait de la chance ! Le Sud ne devait pas connaître des hivers aussi rigoureux !

Belle hurlait à présent. Que pouvait avoir encore cette enfant ? Elle ne supportait aucun lait ! Fanny la prit dans ses bras, la berça. Si seulement Flavien se montrait raisonnable, acceptait de rentrer à Boston ! Elle appréhendait tant l'approche de l'hiver. Lui riait de ses craintes, répétait :

— Moi aussi j'ai été un enfant difficile à élever, et regarde à présent ! J'en fais autant que Joe !

Et son inconscience la désolait tant qu'à de certains moments elle pensait : « Je vais finir par le détester » ! Et quand elle était trop fatiguée, trop lasse, elle rêvait à un autre visage, à une grande bouche dure. A un homme qui serait lucide, réaliste, lutterait à sa place et la protégerait...

* *
*

Dallas Russell arriva au ranch du Français quelques semaines après que le général Lee eut rendu à Appomattox ce qui restait d'armée sudiste, consacrant ainsi la victoire du Nord, quelques jours après que le général Shelby, refusant l'armistice et continuant de se battre au Texas, eut décidé de passer au Mexique avec ses soldats et d'offrir ses services à l'empereur Maximilien.

Mais ni Appomattox ni Shelby n'inquiétaient beaucoup Claude-Henri ce jour-là : un orage avait éclaté en début d'après-midi, une vraie tornade, une des premières de l'été,

140

et la foudre était tombée sur le camp de bétail le plus rapproché de la maison. La panique avait saisi les bêtes et, aussitôt prévenus, Paco et lui y avaient couru.

Lorsqu'ils rentrèrent, fourbus, leurs longs cirés ruisselants d'eau, ils aperçurent, dans le crépuscule orange, ce garçon appuyé à l'un des piliers soutenant l'escalier qui menait à la galerie extérieure. Il avait abrité son cheval mais lui restait nu-tête sous la pluie, et avec ses mèches blondes collées autour de son visage mince, ses yeux clairs frangés de longs cils, il rappela d'entrée à Claude-Henri quelqu'un qu'il avait déjà vu. Mais où ? Mais quand ? Impossible de se souvenir.

En les voyant, le garçon s'avança, dit :
— Je m'appelle Dale Russell, Dallas. Je cherche du travail. Dans un ranch.
— Montez, dit Claude-Henri. Paco va voir ça avec vous.

Et il alla, lui, se changer. Quand il revint dans la salle Dallas n'était plus là et Paco semblait songeur.
— Alors ? Qu'est-ce que c'est ce garçon ?
— Pas un pied tendre. Rien qu'à voir comment il a démonté sa selle et logé son cheval, c'est un homme né en selle et il dit qu'il a fait toute la guerre dans la cavalerie confédérée et qu'il a quitté Shelby parce qu'il ne voulait pas aller au Mexique.
— D'où est-il ?

Paco eut un geste fataliste :
— Il ne l'a pas dit.

Et Paco n'avait pas posé de questions, fidèle à ce code d'honneur des ranchs qui voulait qu'on se contente d'accueillir les étrangers sans rien demander sur eux ni sur leur passé. Ce n'était pas Claude-Henri qui risquait d'enfreindre ce code dont il avait lui-même bénéficié !

— En tout cas, il n'a pas l'accent d'ici mais plutôt de Louisiane, tu ne crois pas ?

Paco ne se prononça pas.

— Tu l'as embauché comme quoi ?

— Pour me seconder.

Claude-Henri eut un petit sifflement : Paco n'avait jamais voulu jusqu'ici entendre parler de former quelqu'un qui puisse l'aider !

— Fameuse recrue pour le ranch alors ?

— Qui le sait ?

Le ton de Paco était étrange.

— Allons, qu'est-ce qui ne va pas chez ce garçon ?

Paco aimait beaucoup prendre des airs mystérieux et il fut mécontent de se trouver acculé au mur.

— Il est comme vous, grogna-t-il, trop grand, trop lourd et ça crève les chevaux.

Claude-Henri éclata de rire :

— Viens donc un peu au fait, vieux renard ! Que reproches-tu à ce Dale ?

— A la guerre, dit d'un ton bourru Paco, on tue. Plus ça dure, plus on s'habitue, et pour quelques-uns plus on y prend goût.

Il y eut un silence.

— Il t'a dit son âge ?

— Vingt-quatre ans.

— Je l'aurais cru plus jeune.

— Ses yeux non.

— Et ce sont ses yeux qui t'inquiètent ?

A l'ironie de Claude-Henri, Paco opposa son visage plus inexpressif :

— Je me comprends.

Claude-Henri n'insista pas. C'eût été peine perdue. Les rapports entre Paco et lui avaient beau s'être normalisés, lorsque le Mexicain avait décidé de se taire, le diable lui-même n'aurait pu l'obliger à parler !

Ce fut en revoyant Dallas le lendemain matin que Claude-Henri se souvint où il avait déjà vu cette pureté de traits presque trop grande, cette blondeur, ces yeux clairs : dans la chambre de sa mère, à Aix, une toile italienne représentant un ange.

Il en ressentit un léger malaise. D'autant qu'il n'aimait pas qu'un homme fût trop beau — sans doute au souvenir là aussi de sa mère. Puis il chassa cela de son esprit. Il avait bien trop de choses en tête pour perdre son temps à analyser ses impressions !

Trop de soucis surtout. De divers ordres. D'abord, l'asphyxie prédite par le vieux Morgan était devenue une réalité : tout le Texas de l'Ouest étouffait sous le poids sans cesse croissant de troupeaux qu'il était impossible de vendre. On ne pouvait tout de même pas étrangler les veaux qui naissaient de vaches fécondées par des taureaux sauvages.

On étouffait et on manquait d'argent. Lui arrivait encore à tenir grâce à ses dollars-or placés dans des banques du Nord, mais les ranchers qui n'avaient que le papier-monnaie confédéré du Sud, devenu sans valeur depuis la défaite, étaient pratiquement acculés à la ruine.

Et comme un mal vient rarement seul, le Sud avait perdu la guerre et le Texas de l'Ouest était à son tour envahi de toute une tourbe yankee. Carpet-baggers et scallyrags ne s'étaient pas attaqués aux seules plantations de coton de l'Est ! Ils avaient débordé peu à peu et profitaient des difficultés des petits éleveurs pour acheter leurs ranchs au plus bas prix, quitte à les laisser ensuite à l'abandon. Ce qui n'empêchait pas les terres de leur appartenir !

Au train où allaient les choses, il n'y aurait bientôt plus un homme honorable parmi les ranchers du Texas ! Dans les comtés bordant la Nueces, il restait King, bien sûr, Hunter, Robideaux et lui !

King avait essayé, pour tirer un peu d'argent frais de ses bêtes, de les vendre, non plus sur pied puisque c'était irréalisable, mais mortes. Il avait fabriqué une sorte de biscuit de viande qui s'était révélé très vite invendable tant le goût plaisait peu aux gens — et, songeait Claude-Henri, on ne pouvait leur en faire grief : ils étaient très mauvais, ces biscuits !

L'été précédent, ils avaient tenté en commun de conduire à nouveau des troupeaux vers les terminus de chemins de fer des grandes plaines et choisi, après beaucoup d'hésitations, de réflexion, la ville de Sédalia, dans le sud-est du Kansas, parce qu'ils pensaient suivre ainsi une piste où l'herbe serait abondante et où le bétail ne souffrirait pas. C'étaient les conducteurs qui avaient souffert !

Qui eût pensé que les fermiers du Kansas disputeraient le passage aux troupeaux ? Et de quelle manière ! Conducteurs, cavaliers, ficelés, battus comme plâtre, laissés à demi morts et les troupeaux en folie dispersés ou volés.

Deux cent cinquante mille bêtes étaient venues du Texas vers Sédalia, avaient dû piétiner une partie de l'été face au barrage des fermiers, sur une herbe morte qui ne pouvait plus les nourrir, et lorsque les conducteurs, désespérés, avaient tenté de gagner un coin moins hostile et s'étaient dirigés vers l'Iowa, la route dure et l'herbe pauvre avaient tant affaibli le bétail que les marchands de Saint-Louis l'avaient acheté pratiquement pour rien. Cela n'avait même

144

pas couvert l'énorme perte de milliers de bêtes invendues, mortes en chemin ou volées.

Une tentative qui ressemblait fort à une dernière chance avait échoué.

Et Claude-Henri se répétait : que faire ? mais que faire ? Ses dollars ne seraient pas éternels, les pâturages du ranch commençaient à devenir insuffisants pour toutes ces bêtes qui ne rapportaient même pas de quoi payer les dépenses de leur entretien, du marquage, de tout ce qu'on ne pouvait tout de même pas fabriquer au ranch !

Si lui aussi devait être un jour réduit à voir ses terres passer entre les sales pattes d'hommes du Nord qui n'avaient jamais monté que des chevaux de cirque et ne pouvaient distinguer un hongre d'un étalon, ce jour-là, ce serait le ranch du Français qu'on peindrait en rouge ! [1]

*

* *

Belle tomba malade à la fin de janvier. Elle commença à avoir de la fièvre, à ne plus supporter rien que de l'eau sucrée et en quarante-huit heures elle avait dépéri au point que Fanny, quand elle la changeait, n'osait plus la regarder. Flavien se tenait jour et nuit à côté du berceau, refusait de dormir, de manger.

Les tempêtes de neige se succédaient sans répit. Les rafales de vent secouaient les murs et Joe sortit, sous la tornade glacée, pour tenter d'aller chercher Sarah Smith. Mais il dut revenir, et de toute façon, Belle agonisait.

Toute une interminable nuit, Flavien et elle guettèrent ce

1. « Peindre la ville en rouge », expression consacrée pour : chercher la bagarre, se battre.

petit souffle de rien qui tenait encore leur enfant en vie. Et ils ne pouvaient ni penser ni rien faire. Se tenir là, vides.

Belle mourut à l'aube et Flavien s'écroula contre le berceau. Fanny souffrait tant qu'elle l'appela :

— Flavien !

Il ne bougea pas. Alors, elle s'approcha, mit une main sur son bras, répéta :

— Flavien !

Un appel au secours, désespéré. Flavien releva vers elle un visage décomposé et la regarda avec tant de haine que Fanny recula. Flavien la rendait responsable de la mort de Belle ! Et c'était si injuste que les mots de révolte qu'elle avait réussi à retenir jusque-là, il allait cette fois les entendre : son enfant était morte non par sa faute à elle mais par la sienne, parce qu'il avait voulu venir vivre dans ce désert, qu'elle s'était épuisée de travail quand elle la portait, que rien ne réussissait à chauffer, l'hiver, cette maison de mottes et qu'il n'y avait eu ni remèdes ni médecin pour tenter de sauver son enfant !

Cela, Flavien allait l'entendre ! Elle avança de nouveau vers lui, elle redit :

— Flavien !

Il s'était réenfoui le visage contre l'édredon du berceau.

— Flavien, tu vas m'écouter !

— Non, fit la voix fulminante de Joe. L'écoutera pas ! Et vous allez venir un peu avec moi, vous ! (Il la tira sans ménagement jusque dans la cuisine.) Vous auriez piétiné un homme qui est à terre, oui, vous auriez fait ça ! (Son regard flamboyait.) Lui se courbe comme le juste sous la punition du Seigneur mais vous, femme pécheresse, vous n'entendez donc pas sa voix qui dit : « Je frapperai et j'exterminerai cette race impure » et...

— Taisez-vous, hurla Fanny, taisez-vous ou je jette votre bible au feu !

Joe lui arracha la bible qu'elle venait de prendre et se rassit dans son coin avec fureur, mais sans plus rien dire. Fanny ouvrit toute grande la porte.

— Z'êtes folle ! cria Joe. Rentrez !

Mais elle ne l'entendait pas. Plaquée par le vent au mur de mottes, la figure giflée de cristaux de neige, elle criait au jour qui se levait, au vent, au ciel, les reproches qu'elle n'avait pu faire à Flavien. Et sa voix se perdait dans un désert blanc.

La période qui suivit la mort de Belle fut la plus sinistre que Fanny ait jusque-là vécue : tout le mois de février, la neige et le vent les tinrent pratiquement enfermés. Joe et elle ne sortaient que pour soigner les mules et la vache, les poulets étaient morts de froid depuis Noël et ils remplissaient les seaux de neige pour la faire fondre et avoir de l'eau. Flavien les regardait faire, muet, lointain, de nouveau emmuré sur lui-même et sur son chagrin comme aux plus mauvais moments de son retour de captivité.

Il ne se rasait plus et avec ses cheveux aussi longs que ceux de Joe, ses joues maigres, ses yeux creux, il avait l'air d'un spectre. Par moments il se mettait devant le piano et il jouait pendant des heures avec une frénésie pire en un sens que son abattement ordinaire.

Fanny ne pouvait plus supporter ni le sifflement du vent, ni la musique des notes, ni cette solitude, et elle pensa que si le printemps n'arrivait pas vite, elle deviendrait folle. Déjà elle parlait toute seule !

Quand mars amena le dégel, bien qu'il fasse encore froid, elle passa au-dehors des après-midi entiers. Mieux valait patauger dans la boue que de rester en face de Flavien en face du berceau de Belle qu'il n'avait pas voulu qu'elle enlève ni aucune des affaires qui avaient appartenu au bébé.

Un jour qu'elle était restée un long moment près des trois pins, au pied de la petite butte de terre où Joe avait creusé une tombe pour Belle, elle rentra, décidée à parler à Flavien.

Elle ne voulait plus rester à Chamane Lodge. Elle voulait rentrer à Boston, revoir Jérôme. De tout l'hiver elle n'avait pas eu de nouvelles de lui. Où tante Phœbé aurait-elle pu écrire ? En dehors de Westport, il n'y avait pas de courrier postal régulier, et Westport était si éloigné... Elle repoussait de toutes ses forces l'idée qui la hantait : si Jérôme était tombé malade, s'il était lui aussi... Non ! Ce n'était pas possible, ça ne pouvait pas arriver. Jérôme était un enfant bien portant, bien nourri, bien chauffé. C'était cela qu'il fallait se répéter. Mais sa résistance faiblissait et ce jour-là elle dit nettement à Flavien :

— Je veux rentrer à Boston.

Et comme Flavien continuait à jouer du piano sans répondre, elle le secoua :

— Je veux rentrer, tu m'entends ! Je veux revoir...

Elle ne put achever sa phrase. Flavien venait de se lever et lui faisait face. Il était blême, il avait des yeux de fou et il hurla :

— Jamais je ne partirai d'ici à présent ! Jamais je n'abandonnerai ma petite Belle et je ne veux plus entendre prononcer le nom d'un autre enfant (il la tenait par le bras et ses doigts serraient si fort qu'elle en garda la trace sur sa peau pendant plusieurs jours). Tu m'as compris ? Est-ce que tu m'as compris ? Alors tais-toi !

Il la lâcha brusquement et se remit à son piano.

Fanny sortit, se dirigea vers l'écurie, prit une des mules, la sella, calmement, comme si son corps était indépendant de ce tourbillon incandescent qu'était devenu son esprit, et elle partit chez les Smith.

Lorsqu'elle arriva, Sarah, dans la cuisine, pétrissait du maïs et de la pulpe de citrouille pour faire du pain et elle poussa une exclamation en voyant surgir Fanny :

— Rien de grave, j'espère ?

— Si, dit Fanny. Je ne resterai pas un jour de plus à Chamane Lodge. J'ai l'intention de rentrer à Boston. Je sais que Hugh part demain pour Westport. Je suis venue vous demander s'il veut bien m'amener là-bas avec lui. Après, je me débrouillerai seule.

Sarah fit tomber lentement la pâte qui engluait ses doigts, les essuya à un torchon et, se dirigeant vers le fourneau, gratta la braise et posa dessus un pot de café.

— Asseyez-vous, dit-elle, vous êtes glacée et c'est de la folie d'être venue seule. Vous ne savez donc pas, à Chamane Lodge, que les Kiowas, en ce moment, ne nous portent pas dans leur cœur ? Ils ont attaqué la ferme des Andrews voilà une semaine. Tout a brûlé et il n'y a que Teddy qui ait pu se sauver. Les autres ont été massacrés.

— Non, dit Fanny interdite, non, Sarah, nous ne l'avons pas su.

Sarah versa le café bouillant dans un bol, le tendit à Fanny :

— Y a moitié orge dedans, mais ça réchauffe. (Elle détourna un peu ses yeux bruns.) Et c'est vrai que vous êtes loin à Chamane Lodge, pour les nouvelles...

« Pas plus qu'eux, ici », songeait Fanny et pourtant on les avait prévenus ! Depuis longtemps déjà elle savait que Flavien et elle n'étaient pas aimés. Trop différents. En marge une nouvelle fois ! Devrait-elle toute sa vie se sentir en porte à faux, n'être nulle part à sa place, ne connaître l'amour

149

partagé ni avec un mari ni avec les gens parmi lesquels on vit ? En dehors de Sarah, qui était bonne et serviable, qui se souciait d'eux ?

Les larmes lui vinrent aux yeux et Sarah dit avec douceur :

— J'ai eu beaucoup de peine pour vous, Fanny, quand j'ai su la mort de votre petite Belle. Je peux comprendre : j'en ai perdu trois ici, dans les premières années. (Elle avait posé ses mains à plat sur sa jupe de tiretaine raccommodée et c'était si rare de les voir inactives que Fanny en éprouva du désarroi.) Oui, reprit-elle du même ton uni, je peux comprendre aussi votre découragement. Cela va faire huit années que Hugh a voulu quitter la vieille vallée où nous avions tous nos parents, tous nos amis, où nous avions toujours vécu, pour aller dans l'Ouest. Il disait : « Là-bas, les prairies sauvages sont remplies de gibier et les terres libres ne demandent qu'à être chatouillées par la houe pour s'épanouir en moisson », et nous sommes venus ici et après huit années, notre ferme ne possède toujours ni arbres ni fleurs. Et quand je les entends dire : « Émigre et bouge si les récoltes ne vont pas, pousse plus à l'ouest et essaye un sol nouveau. Le bonheur, la richesse sont plus loin, vers le couchant », oui, quand je les entends, les hommes, dire que c'est un signe de faiblesse, un manque de caractère de rester tranquillement dans le pays où l'on est né, je pense qu'ils ne mesurent pas ce que ça peut nous coûter, à nous les femmes, de tout quitter comme ça et d'aller vivre dans de pareilles solitudes.

Fanny regardait les mains immobiles de Sarah et sa jupe trop étroite que tendait son ventre, elle attendait son huitième enfant et Fanny admirait sa patience et sa ténacité sans avoir jamais pensé qu'elle ait pu connaître elle aussi la révolte et le désespoir.

— Seulement, dit Sarah en hochant la tête, moi je n'ai jamais pensé une seconde à abandonner Hugh.

— Alors, vous me condamnez ? demanda avec véhémence Fanny. Vous qui comprenez tout, vous ne comprenez pas cela ?

— Non, dit Sarah avec simplicité, cela je ne le comprends pas. Et je ne veux pas vous approuver. Ce n'est jamais bien de rompre un serment qu'on a fait sans que personne vous y oblige.

Fanny revit la nuit du Verdon, la cabine du *Virginian,* le vieux curé Durieu qui posait la question : Fanny, voulez-vous prendre comme époux... et la cabane de sureaux et Mathieu de Livran. Pouvait-on parler de choix libre ? Oui, en un sens, puisqu'elle avait été libre de se rendre ou non à ce rendez-vous.

L'honnêteté voulait qu'elle admette cette dure vérité : elle ne pouvait rendre personne d'autre responsable du cours tumultueux qu'avait pris sa vie à dater de là.

Elle but son café d'un trait, dit :

— Sarah, je vous remercie. Je vous ai dérangée.

Elle se leva. Sarah s'écria :

— Fanny, vous n'allez pas repartir seule ! Attendez que j'appelle Hugh ou Tom pour qu'ils vous accompagnent. Les Kiowas...

Mais Fanny était déjà sur le dos de la mule : les Kiowas... quelle importance avaient-ils ! Et tant mieux s'ils la tuaient !

Elle arriva sans encombre à Chamane Lodge et elle était si découragée qu'elle ne remarqua pas d'emblée ce fait insolite : Flavien était dehors et Joe sellait l'autre mule.

— Ah, te voilà, cria Flavien. D'où viens-tu ? Tu nous a fait une de ces peurs ! J'allais partir chez les Smith.

— J'en viens, dit Fanny. J'étais allée voir Sarah.

— Seule ? Es-tu devenue folle ?

— Oui, sans doute. Mais les Kiowas ne m'ont pas mangée, n'est-ce pas ? Alors, inutile d'épiloguer.

Et elle se dirigea vers la maison. Sur le seuil elle se retourna :

— A propos, ils ont brûlé la ferme d'Andrew. Il y a deux semaines. Ils sont tous morts sauf Teddy.

Et elle rentra.

Le soir, lorsqu'ils furent couchés, Flavien, pour la première fois depuis la mort de Belle, se rapprocha d'elle, l'entoura de son bras, et comme elle ne faisait aucun geste, il murmura :

— Fanny... Fanny, j'ai eu si peur. Si je devais te perdre toi aussi, je me tuerais.

A l'instant même elle revit le pont du *Virginian* et la ride moqueuse qui tirait la bouche de Claude-Henri : et je crains que votre mari n'ait tendance à piper les dés... Que faisait-il d'autre, une fois de plus ? Un chantage aux sentiments. Mais c'était trop facile !

— Tu ferais mieux, dit-elle d'un ton froid, de chercher par quels moyens ne pas me perdre ! Maintenant, laisse-moi dormir !

Flavien retira son bras.

Mais les jours qui suivirent il fit un net effort, coupa sa barbe, essaya d'entretenir quelque conversation avec Fanny, se remit à faire des plans avec Joe pour de nouveaux arbres. Il émergeait enfin de peu. Et il ne jouait plus du piano que le soir.

Une nuit, il dit même :

— Fanny, si tu le veux, j'irai chercher Jérôme.

Elle fut émue mais ne put se résoudre à le lui montrer et se borna à dire avec tristesse :

— Ce n'est plus la peine. Maintenant j'ai trop peur.

Ce qui était la vérité. Deux autres fermes avaient été attaquées par les Kiowas et les soldats de plusieurs forts avaient dû intervenir.

Chamane Lodge était très proche d'une des pistes militaires qui bordaient l'ouest du Kansas et cela rassurait un peu Fanny, mais un soir qu'elle égrenait du maïs assise contre la fenêtre ouverte parce qu'il faisait doux, en levant la tête, elle vit, à quelques mètres de la maison, une silhouette qui la fit se dresser, les deux mains crispées sur son tablier, étouffant le cri de terreur qu'elle allait pousser.

— Eh bien quoi, dit Joe avec calme. C'est un Indien. Fait un moment qu'il avance vers la maison.

Et il posa tranquillement contre le mur la houe dont il était en train d'arranger le manche.

Flavien avait tendu la main vers son fusil.

— Laissez ça ! Voulez que toute la tribu de démons vienne nous scalper cette nuit ?

Il se dirigea vers la porte qu'il ouvrit. L'Indien resta sur le seuil. C'était un jeune garçon, encore adolescent, et ses grands yeux noirs fendus en amande rappelèrent à Fanny ceux de Jérôme. Instinctivement, elle sourit.

Le jeune Kiowa regardait fixement le clavier du piano et il y avait une curiosité si enfantine dans son regard que Fanny lui fit signe d'approcher.

Elle frappa au hasard sur les touches et le garçon recula. Elle se mit à rire et il se rapprocha, tendit une main hésitante vers le clavier, appuya sur une note, enlevant ensuite vivement son doigt comme s'il avait eu peur de se brûler.

— Encore une chance, grogna Joe, que votre instrument de Satan n'en ait attiré qu'un ! Doit y avoir des chasseurs de bisons dans le coin.

— Flavien, joue-lui quelque chose, dit Fanny.

Flavien joua une sonate. Le jeune Kiowa écouta gravement, puis il fit une grande phrase que personne ne comprit et disparut comme il était venu.

— Pour être hardi comme ça, dit encore Joe, faut être un gosse ! N'empêche que ça me plaît pas beaucoup !

Et il referma la porte d'un coup de pied.

Le lendemain vers l'aube, un hennissement les réveilla tous les trois.

— Qu'est-ce que j'avais dit ? (Joe prit son fusil, en tendit un à Flavien.) Mettez-vous là, et vous, restez donc pas près de cette fenêtre.

Il avança sans bruit vers la porte. On entendit un nouveau hennissement et le bruit d'un sabot frappant le sol. Joe s'arrêta une seconde, indécis, puis il entrebâilla d'un demi-centimètre, d'un autre, passa d'abord le canon du fusil, risqua un œil et ouvrit en grand en s'écriant :

— Çà !

Flavien et Fanny virent alors, attaché à l'anneau de fer de la porte, un cheval aussi blanc que la peau de bison de la tunique du jeune Kiowa et qui mangeait tranquillement une touffe d'herbe qui avait poussé entre les mottes de terre du mur dont les intempéries avaient écaillé le crépi.

— Que fait là ce cheval ?

— M'a tout l'air d'un cadeau. Pour vot' concert d'hier soir !

— Comment ont-ils fait ? dit Fanny. On n'a rien entendu !

Joe lui jeta un regard dédaigneux :

— Avec eux, z'entendez jamais ! Sont comme le serpent d'hier que j'ai tué d'un coup de fourche : i glissent !

Flavien regardait avec enthousiasme le cheval :

— Fanny, un cheval ! Tu te rends compte ! Je vais enfin pouvoir chasser. Je pourrai enfin galoper dans ces immen-

154

sités, voir tournoyer les faucons, fuir les antilopes, se lever comme un nuage d'ailes et de plumes...

Elle surprit le regard de Joe posé sur Flavien. Ni méprisant ni moqueur, attentif aux mots ; et quand il eut fini sa tirade sur la chasse, Joe s'enflamma à son tour :

— C'est beau. Comme quand le Seigneur parle à Moïse de la terre de Chanaan : « Va et conduis mon peuple au-delà de ce fleuve, conduis-le vers la terre où coule le miel et le lait, où... »

Fanny ferma les yeux. Partis dans leurs rêves, chacun à leur manière ! Et elle continuerait, elle, à faire les repas, à traire la vache, à entretenir le feu, à ramasser les citrouilles, les haricots, les pois, à laver, à raccommoder. Ce qu'il fallait bien, faute d'autre mot, appeler vivre !

— Ce cheval, dit Flavien, je le baptise Kiowa !

— Ferez rudement bien, dit Joe. Avec ça, maintenant, z'allons pouvoir êt' tranquilles un bout de temps ! Ouais, comme qui dirait dans le pays des Indes, des espèces de vaches sacrées !

II

Au ranch du Français comme partout sur la Nueces on avait passé un sombre hiver, économisé sur le moindre clou, refait dix fois des comptes dix fois déficitaires et Claude-Henri songeait avec angoisse qu'une fois les impôts payés — des impôts que les Yankees s'entendaient à augmenter ! — il ne resterait plus grand-chose des dollars que la guerre lui avait fait gagner.

L'argent de la pâtisserie, remboursé par miss Holmes, avait été lui aussi englouti et il ne possédait guère comme objets de valeur que les boucles d'oreilles de Fanny. Il se refusait à les vendre. D'abord c'eût été une goutte d'eau et puis, elles représentaient pour lui un symbole — comme la montre de Simon. Le symbole de sa réussite, un rappel de Jérôme Eymen aussi. Les monnayer c'eût été admettre l'échec. Il n'en était pas encore là !

Le printemps arriva, anormalement sec. L'herbe jaunissait et on n'était qu'en mars. Les fleurs qui d'ordinaire poussaient si dru qu'elles faisaient, par endroits, comme un tapis de couleurs vives et brillantes, se fanèrent avant d'éclore et le problème de nourrir les bêtes commença à se poser.

Ce fut le moment que choisit le juge du comté pour le convoquer. Il s'y rendit un peu inquiet et en revint décomposé. Il s'enferma dans la pièce qui lui servait de bureau et Paco lui-même n'osa pas entrer.

Lorsque enfin il le fit appeler, il dit d'un ton si cassant :

« Convoque les hommes, tous, ici devant ! » que Paco n'osa rien demander.

Vers le début de l'après-midi ils commencèrent à arriver et ils parlaient entre eux avec ces mines graves que donne l'appréhension : le dernier vaquero savait à quoi s'en tenir sur la situation financière du ranch ! Chacun savait également qu'il ne faisait pas bon avoir affaire pour un Texan sudiste à la justice de ces hommes envoyés par le Nord et qui se conduisaient comme en pays conquis ! Et l'administration aussi était entre leurs mains ! On ne comptait plus les rixes qui éclataient à San Antonio comme à Laredo, à Santa Gertrudis ou à Santa Clara.

Lorsqu'ils furent tous là, Claude-Henri se plaça à cheval au milieu d'eux qui firent cercle pour l'écouter :

— Je viens de chez le juge Malone. Il m'a appris que deux hommes arrivés du Nord dans les bagages du nouveau gouverneur Hopkins ont estimé que la vente que Sam Morgan m'avait faite de ce ranch n'était pas légale, que je suis donc possesseur illégitime de terres appartenant désormais à l'État du Texas. Et ces terres, ils ont l'intention de me les prendre, avec les bâtiments, les corrals, le bétail, et avec vous aussi dedans ! Vous le savez tous, ce ranch, je l'ai acheté aux vieux Sam légalement et j'ai payé les droits d'enregistrement des terres comme l'exige la loi. Ces hommes sont donc des menteurs et des voleurs, mais je peux pas me défendre car il n'y a plus dans tout le Texas ni juge intègre ni administrateur qui respecte la loi ! Et les shérifs sont payés par cette vermine ! Alors, puisque ces hommes font la loi à leur guise, je ferai aussi la mienne et, devant Dieu, elle sera plus juste que la leur ! Voilà ce que j'ai décidé : demain matin, ces deux hommes, escortés du juge, doivent venir ici faire ce qu'ils appellent une estimation des lieux. Je les attendrai devant la porte de mon ranch et j'ai prévenu le juge : le premier d'entre eux qui essaiera de poser le pied sur ma terre, je l'abattrai sans hésiter ! Pour ça, je n'aurai pas besoin de vous. Mais je veux que vous soyez là, tous, à mes côtés, pour qu'ils comprennent que dans un ranch, nous sommes tous solidaires parce que nous lie le même amour d'hommes libres pour une vie libre, sur des terres libres, et que nous voulons que ça continue !

Il y eut une envolée de chapeaux, des hourras ponctués du cri guttural des rebelles, et Paco dit avec un sourire heureux :

— Tu as parlé comme chacun de nous pense dans son cœur, hombre !

Le tutoiement, le terme « hombre » qu'il se décidait enfin à lui donner étaient une consécration qui eût, en d'autres temps, rempli d'orgueil Claude-Henri.

Ce soir-là, il pensa qu'elle venait tard, très tard, trop tard. Combien de jours tiendrait-il sur le ranch si le gouverneur envoyait des soldats ?

Les cavaliers guettaient aux limites du ranch et dès qu'ils aperçurent la traînée de poussière que levait sur la piste la voiture du juge, ils donnèrent l'alerte.

Claude-Henri se mit en selle, Paco et Dale juste derrière lui, puis les contremaîtres et les hommes du ranch, et ils avancèrent au petit trot jusqu'à la première barrière. Là, ils s'arrêtèrent et attendirent.

La voiture du juge arrivait à grand train et le cocher eut de la peine à stopper les chevaux devant le portique de bois que surmontaient les lettres French Ranch. Il faisait beaucoup de vent, un vent déjà chaud, et le juge était rouge en descendant lourdement le marchepied que le cocher venait d'abaisser. Les deux hommes qui l'accompagnaient n'avaient pas attendu, eux, et avaient sauté pour voir plus vite ce qui se passait.

La stupeur se peignit sur leurs visages puis un certain embarras. Le juge leur avait dit que ce French était un coriace et qu'ils allaient au-devant d'ennuis, mais ils en avaient ri : si malin qu'il soit, à roublard, roublard et demi, ils connaissaient mieux la musique que lui et le gouverneur était leur ami ! Ce ne serait pas la première fois qu'ils feraient main basse sur des terres qui leur plaisaient, le sud était vaincu, oui ? Alors qu'il paie !

Mais c'était la première fois qu'ils se trouvaient face à pareil spectacle : quatre-vingts cavaliers massés derrière un homme qui les regardait, du haut de son cheval, d'un air impassible, et disait d'un ton assuré :

— Je vous avais prévenu, juge, que je ne vous laisserais pas entrer. Je tiens parole, vous le voyez. Maintenant, si ces messieurs ont quelque chose à m'objecter, je les écoute.

— Vous n'avez pas le droit de nous interdire d'entrer, dit l'un des deux hommes.

— Je l'ai car je suis chez moi.

— C'est faux ! Vous avez tourné la loi ! Ces terres sont à l'État et...

— Juge, expliquez donc à ces messieurs que j'ai déjà entendu quelque part cet air-là et que je n'ai aucune envie de l'entendre à nouveau chanter ! Si quelqu'un tourne la loi, ce n'est pas moi mais eux !

— Le gouverneur de cet État...

— Le gouverneur n'est pas la loi et je ne le connais pas !

— Vous apprendrez à le connaître ! Il saura comment vous accueillez ses amis, vous et votre horde de bandits, de gardiens de vaches déguisés comme des Indiens, de...

160

— Juge, faites taire cet homme, ou je ne tiendrai plus longtemps les miens !

Le juge tira l'homme par la basque de sa redingote.

— Ne vous entêtez pas, ils sont armés et je les connais, ils tireront !

— Avec plaisir ! hurla soudain Dallas. Hors d'ici, fripouilles ! Hors d'ici !

En entendant la voix de Dallas, Claude-Henri espéra que Paco le surveillait de près : il allait tirer sur un des deux hommes, c'était certain ! Lui-même cria : « Dale, tiens-toi en paix ! » au moment où partait le coup de pistolet qu'un coup de poing de Paco sur le poignet de Dallas faisait dévier.

Le juge grimpa précipitamment dans sa voiture et l'un des hommes l'y suivit en courant, mais l'autre, celui qui jusque-là n'avait pas parlé, fit face :

— C'est le guet-apens le plus déloyal que j'aie jamais vu ! A cent contre un, il est facile d'être un héros ! Les hommes du Sud avaient moins de courage quand il s'agissait d'affronter les soldats de Grant ! Mais ce qui s'est passé en Géorgie, on pourrait le revoir ici !

Il se dirigea à pas lents, calculés, vers la voiture et il fallait avoir un certain courage. Claude-Henri dut l'admettre. A regret. Un cri furieux de Dallas le fit, cette fois, se retourner : Paco et Dallas, tous deux désarçonnés, roulaient par terre et se battaient. Dallas eut rapidement le dessus, se releva, hagard, hurla :

— Lui, je l'aurai !

Il visa l'homme. Trop tard. Il venait à son tour de monter dans la voiture du juge. Elle partait au galop des chevaux que frappait à coups redoublés le cocher épouvanté.

Dallas rengaina son pistolet inutile, cracha de colère et se remit en selle. Paco aussi, tranquillement.

161

Lorsque les hommes se furent dispersés, Claude-Henri, demeuré seul avec Paco et Dallas, dit :

— Tâche d'être moins nerveux, Dale, une autre fois.

— Je hais les Yankees !

— Tu es de Géorgie ?

Les longs cils blonds qui faisaient aux yeux clairs un regard d'ange battirent :

— Oui.

Et piquant les étriers dans les flancs du cheval, il partit au galop vers le ranch.

— On a gagné la première manche, dit après un silence Claude-Henri, mais la suite…

La suite fut assez inattendue. Richard King en personne se déplaça et vint le surlendemain au ranch du Français voir Claude-Henri.

— Votre geste m'a plu et je suis allé voir le juge Malone et je l'ai averti que j'irais, s'il le fallait, jusque chez cette crapule de gouverneur et qu'on verrait s'il oserait mettre en balance ma parole et celle de deux canailles ! Je me porte garant de l'authenticité de la vente du vieux Morgan et je représente tout de même deux cent mille hectares de terre du Texas et trois cent mille têtes de bétail, et j'ai l'habitude qu'on m'écoute lorsque je parle ! Je crois donc pouvoir vous assurer que le juge Malone n'osera plus rien entreprendre de soi-disant légal ! (Il eut une moue.) Ce qui ne veut pas dire que votre ranch soit sauvé pour autant ! Vous connaissez leur tactique : ils vont vous harceler d'impositions si lourdes que vous ne pourrez pas les payer. Et là, French, je le regrette, mais je ne peux rien pour vous aider. Avez-vous entendu parler de Joe Mac Coy ?

— Oui. Chez Hunter. Vous y croyez, vous, capitaine King, à son idée de faire venir le chemin de fer à Abilene, ce bled du Kansas, pour y embarquer nos troupeaux ? L'an dernier, ça n'a pas donné grand résultat !

— L'an dernier, non. Mais cet homme s'entête et je pense qu'il a raison. C'est une carte que nous devons jouer, d'autant qu'elle est pour beaucoup de nous la dernière ! J'ai l'intention de faire conduire à Abilene cette année. Un conseil : faites comme moi. Vous tiendrez bien ces arnaqueurs de Yankees en respect jusqu'à l'été ?

— Jusqu'à l'été, oui, Après, non.

— Alors, foncez ! Et bonne chance !

... Un mois plus tard, trois mille têtes de bétail partaient du ranch du Français en convoi vers Abilene. Paco conduisait, Dallas et vingt cavaliers l'accompagnaient.

Avec eux, Claude-Henri jouait la dernière carte dont King avait parlé.

*   *
  *

Juillet étincelait dans le soleil. Les vents étaient chauds et secs et l'herbe, brûlée à la tige, était devenue inflammable comme de la paille. On vivait à Chamane Lodge comme partout dans la région, dans la peur d'un feu de prairie. Le ciel sans nuages depuis des semaines avait une luminosité presque effrayante. Aux heures les plus chaudes, les grouses, becs ouverts, ailes étendues, demeuraient accroupies derrière les maigres tournesols qui bordaient la piste militaire. Le soleil flambait à travers l'air poudreux. Le jardin se desséchait et le ruisseau était à sec. A midi, la maison était comme un four.

C'était le troisième été que Fanny et Flavien passaient à Chamane Lodge et ils n'en avaient encore jamais connu d'aussi chaud. Les maïs jaunissaient et Joe lui-même avait renoncé à sarcler le pied des arbres qu'il avait plantés avec Flavien au printemps : il était trop évident qu'ils étaient en train de crever.

A la chaleur s'était jointe depuis deux semaines une autre source de préoccupation : Hugh Smith et Dave Egan — les deux fermiers les plus proches de Chamane Lodge — étaient venus, un matin de la fin juin, voir Flavien. Ils paraissaient à la fois soucieux et excités. C'était Hugh Smith qui avait expliqué la raison de leur venue, tandis que le gros Dave Egan, connu dans la région parce qu'il pouvait remuer deux fois plus de terre dans sa journée qu'un autre, se contentait d'approuver de la tête chaque phrase de Hugh.

— On a été prévenus qu'y a des tas et des tas de ces foutus longhorns du Texas en route pour Abilene. C'est pas dit qu'i viendront passer juste sur vos champs ou les miens, mais Abilene c'est pas loin et droit devant nos terres pour qui vient du sud-ouest. Vaut mieux et'prêts ! On se groupe comme ceux de Sédalia, l'aut'année, et on est venu vous demander d'êt' des nôtres. On sera armés et si les Texans viennent promener par là leurs grands chapeaux, sûr qu'ils s'en souviendront !

— J'aime pas vot' idée, les gars, dit Joe. Le Livre le dit : çui qui frappe avec l'épée, périra par l'épée !

— Je ne l'aime pas non plus, dit Flavien. Nous sommes dans un pays libre, et les Texans ont le droit de vendre leurs bœufs à qui peut les acheter !

— Z'ont qu'à les bouffer, dit Dave Egan avec colère. D'abord c'est tout de la graine de rebelles, tout sudistes !

— J'ai fait la guerre, dit Flavien, pas vous, et pourtant je vous le dis nettement : ne comptez pas sur moi pour attaquer des hommes sans défense comme cela s'est produit à Sédalia. C'est une honte ! Il y a assez de terres en friche que les troupeaux pourraient traverser sans causer aucun préjudice. Ces Texans ont une langue ! Il suffit de discuter ! Si un troupeau est signalé, prévenez-moi, j'irai négocier.

— Ouais, fit Hugh sans enthousiasme. Faut voir. En parler aux autres.

— Ouais, fit encore plus sèchement Dave Egan. Et en attendant, faut rentrer. On n'a pas de temps à perdre, nous !

Depuis cette scène, Fanny vivait, oppressée par moments, sans savoir pourquoi. Le refus de Flavien allait achever de leur aliéner les voisins, mais son angoisse venait de plus profond, irraisonnée. Comme les ombres mauves que faisaient les faucons tournoyant dans le ciel brûlant avant de fondre sur les mulots. Et elle pensait, en s'efforçant de se moquer de sa peur : voilà qu'à présent je ressemble aux rats !

Mais elle ne pouvait oublier les propos des fermiers. Elle y songeait encore cet après-midi-là, assise près du lit desséché du ruisseau, à l'ombre d'un des pins. Flavien était parti chasser, malgré la chaleur, Joe désherbait un carré de pommes de terre derrière la maison.

Il faisait beaucoup de vent — un vent brûlant, annonciateur sans doute de tornade — et elle s'inquiétait de voir que l'après-midi avançait et que Flavien ne rentrait pas.

En entendant un galop, elle crut d'abord que c'était lui et elle se leva. Elle resta interdite en voyant non pas un cavalier mais trois et dont aucun n'était Flavien. Elle reconnut en revanche le gros Dave Egan et s'apprêtait à lui crier « bonjour » lorsqu'elle remarqua un homme ficelé en travers d'une des selles.

Les cavaliers piquaient droit vers elle, stoppèrent leurs poneys presque au ras de ses jupes, ce qui commença à l'irriter. Puis, sans la saluer, Dave Egan dit :

165

— Sortez de là !

Les deux autres déficelaient l'homme et le jetaient par terre comme un sac de blé. Il n'en avait sûrement pas le poids ! Jamais Fanny n'avait vu un homme aussi sec, aussi noir, un vrai grillon !

Dave Egan lui donnait des coups de pied pour le rouler jusqu'à un des pins, les autres s'approchaient, le relevaient, le poussaient contre le tronc et commençaient à l'y attacher avec une corde.

L'homme avait le visage plein d'ecchymoses et la bouche déchirée, mais il ne disait pas un mot. Ses yeux noirs regardaient Fanny.

Elle retrouva ses esprits et cria au gros Dave :

— Non seulement je ne sortirai pas d'ici mais vous allez lâcher cet homme ! Dave Egan, de quel droit entrez-vous chez moi ?

— Du droit, fit-il en ricanant, que je prends ! Nous faut un arbre. Y a que chez vous qu'y en a ! Sans compter — il lui jeta un regard haineux — que ça fera une petite leçon à vot' beau parleur d'mari ! (Il se tourna vers les autres.) Discuter qu'i voulait ! Tout comme çui-là ! Hé, l'homme aux vaches, cause-nous donc un peu ton patois du diable ! (Il se mit à gifler l'homme attaché à l'arbre.) V'là qu't'es muet maintenant, hé, sauvage !

— Arrêtez tout de suite, espèce de sauvage vous-même. Arrêtez, sinon !

— Sinon quoi ?

Les autres riaient à pleine gorge, sortaient leurs fouets. Fanny, folle de colère, courut vers la maison, hurla :

— Joe !

Et, entrant dans la maison, elle sortit un fusil du râtelier, faillit renverser Joe qui la regarda éberlué :

— Où c'est que vous courez, armée comme ça ?

— Aux trois pins ! Ils ont pris un homme du Texas et ils veulent le tuer !

— Qui ça, ils ?

— Dave Egan et deux autres fermiers ! Venez !

— Ouais, fit Joe. Je crois que j'y vais aussi !

Ils arrivèrent au moment où les premiers coups de fouet cinglaient l'homme.

— Bougez plus vous autres, ou je vous descends !

La voix de Joe, son aspect, son fusil en plus de celui que tenait Fanny les firent s'arrêter net.

— Écoute, Joe, fit le gros Dave, laisse, qu'on t'explique...

— Y a rien à m'expliquer. C'est assez clair, me semble ! Reprenez vos poneys ! Allez, plus vite ! Et toi, le gros Dave, mains au dos comme les autres, et essaie pas de faire ton malin, ou je jure sur le Livre que tu seras mort avant moi !

— On se retrouvera, sois tranquille, hurla Dave, et je souhaite qu'une chose à toi, vieux sorcier, et à elle qui vaut pas mieux, c'est qu'ils mènent leurs bêtes sur vos terres ! Alors, peut-être que vous comprendrez ! (Il désigna l'homme attaché à l'arbre.) On vous fait cadeau du corbeau !

Ils partirent à bride abattue.

Joe détacha l'homme. Fanny essuya la sueur qui coulait sur son front et elle se laissa tomber dans l'herbe à côté du fusil. L'homme s'approcha d'elle et dit avec peine à cause de sa bouche blessée, dans un anglais qu'elle comprenait mal :

— Madame, je suis votre obligé.

L'emploi d'une telle formule, le ton de dignité avec lequel il s'exprimait, lui firent lever un sourcil.

— Je m'appelle Paco de la Nueces et je suis du ranch d'Harry French.

— Et moi, je suis Fanny Morange, et voilà Joe, notre valet de ferme. Mon mari est à la chasse mais, je vous en prie, venez dans la maison vous reposer. J'essaierai de soigner un peu ça (elle désigna la bouche de Paco).

Il eut un sourire grimaçant :

— Ce n'est rien. Si les autres n'ont pas plus de mal. Mais sans doute, eux, n'auront pas eu ma chance !

Il s'inclina raidement vers Fanny. « Si ça continue, pensa-t-elle, je vais me croire à la cour d'Espagne ! »

— Vous ont pris où ? demanda Joe.

— A six ou sept milles d'ici à peu près. On se méfiait moins : on était si près d'Abilene ! J'ai voulu parlementer mais...

— Ouais, dit Joe, mais... Sont possédés des sept démons. Pouviez pas plus mal tomber ! C'est tout des Satans là-dedans, ouais, des Satans ! Peux pas mieux dire...

Paco hocha simplement la tête.

Ils se dirigèrent vers la maison en silence.

— Si vous pouviez me prêter un cheval, dit Paco, j'essaierais de les rejoindre. Dallas a peut-être réussi à sauver le troupeau.

— Ici, c'est pas le Texas. Y a que des mules, grogna Joe. Et sans doute que vous êtes pressé d'prendre une aut' raclée !

— Attendez, dit Fanny, voilà mon mari.

Flavien arrivait au galop et sans descendre de cheval cria :

— Les troupeaux sont derrière moi. Des bêtes comme folles que poussent des cavaliers qui n'arrêtent pas de tirer des coups de feu. Un surtout... (il s'épongea le front) qui a l'air sorti tout droit de l'Apocalypse !

— Grand et blond ? demanda Paco.

— Si vous croyez que j'ai eu le temps de voir ! (Il regarda Paco.) Mais d'où sort encore celui-ci ?

— Je t'expliquerai, dit Fanny.

— L'Apocalypse, le cavalier de l'Apocalypse, cria Joe dont le regard venait de s'illuminer.

Personne ne fit attention à lui.

— Écoutez, dit Paco.

Dans les rafales de poussière et de vent, on entendait un grondement sourd comme celui qu'aurait fait le roulement incessant de l'orage. L'air brûlant portait à présent jusqu'à eux des meuglements de bêtes affolées.

— Il a réussi, dit Paco. Il a sauvé le troupeau mais il n'arrive sans doute pas à arrêter la panique. Il ne doit plus avoir assez de cavaliers pour faire tourner les bêtes ! Il faut qu'on l'aide. Où sont les mules ? Non, restez en selle ! Je les prendrai bien tout seul.

Il courut vers l'écurie que Flavien lui désignait, reparut monté sur une mule, à cru.

— Les selles, dit Flavien, sont...

— Pas le temps ! Passez-moi votre pistolet et suivez-moi le plus près que vous pourrez, et faites exactement ce que je ferai. Vous, madame, rentrez dans la maison ! Vite !

— Joe, cria Flavien, prends l'autre mule ! Joe, où vas-tu ?

— Chercher le livre pour anéantir les cavaliers de l'Apocalypse !

Il avait un regard halluciné et Fanny, à son tour, cria :

— Flavien, emmène-moi ! J'ai peur !

Mais Flavien avait déjà enlevé son cheval derrière la mule dont Paco labourait les flancs de ses étriers. Et ils disparaissaient dans un nuage de poussière qui ne cessait d'épaissir.

Elle vit les premières bêtes traverser le ruisseau. Avec leurs cornes énormes, dans le crépuscule rougeoyant, elles avaient des airs, c'était vrai, de bêtes apocalyptiques. Une terreur s'empara de Fanny. Elle se précipita dans la maison et son épouvante s'accrut en voyant Joe, sa bible à la main, qui dispersait sur le plancher les braises du foyer. Un tourbillon de fumée montait déjà du tas de foin pressé qui servait à entretenir le fourneau.

Elle vit les premières flammes monter, entendit Joe chanter à pleine voix un cantique. Les bardeaux du toit s'embrasaient et le vent desséché s'engouffrait par la porte ouverte. Joe la prenait par un bras, la poussait, la tirait et elle se retrouvait par terre, sur la petite butte où Belle était enterrée.

Hagarde, hébétée, elle regardait sur le fond de flammes et de poussière, dominant les coups de feu des cavaliers, les meuglements des bêtes, Joe, le regard fulgurant, qui hurla :

— Y aura des signes dans le soleil, dans la lune et dans les étoiles, et sur la terre détresse des nations à cause du bruit de la mer et des flots. Les hommes sécheront de frayeur dans l'attente de ce qui doit arriver, car les puissances des cieux seront ébranlées, et alors on verra le Fils de l'homme venant sur les nuées avec une grande puissance...

Elle se releva, tenta de s'enfuir et s'évanouit.

Et lorsqu'en ouvrant les yeux elle vit le ciel plein d'étoiles et, penché sur elle, un beau visage aux yeux clairs, aux cheveux blonds, elle se débattit et hurla :

— Lâchez-moi !

Et elle commença à délirer.

III

Dans sa tête, il y avait une étrange suite de souvenirs confus et de visions précises : des glaces où se reflétaient des tentures rouges, un oreiller bordé de dentelles à gros trous dans lesquels, pendant des heures, elle passait ses doigts, un coussin de cuir qui perdait son crin et qui remuait sans cesse sous sa tête — comme si elle était à nouveau en bateau. Elle ne voulait pas rentrer en France, elle ne voulait pas. Alors elle se débattait et criait.

Des visages flous perdus dans de la fumée et qu'elle essayait, pendant des heures, de reconnaître. C'était peut-être Phœbé qui ramenait Jérôme. Alors elle riait et répétait « Jérôme ! » en se dressant et en battant des mains.

Des odeurs bizarres d'eau de Cologne trop parfumée et des cheveux roux qu'elle s'efforçait d'attraper. Pourquoi ne la laissait-on pas caresser le portrait de sa grand-mère ? L'oncle Jérôme le lui avait donné ! Des odeurs mauvaises de cuir moisi, de sueur, de poussière — pourquoi l'avait-on abandonnée dans cette écurie qui n'arrêtait pas de bouger ?

Des paroles dont le sens lui échappait, des mots qui revenaient : Abilene, Pearl, Dolorès, bois, dors, insensé, mourir... Des voix criaient, des voix chantaient un air qui donnait l'impression de trotter sur un cheval. Kiowa était un beau cheval. Jérôme monterait Kiowa. Il riait. Alors elle se mettait à rire.

Des bruits qui la fatiguaient et qu'elle repoussait : qui jouait du piano comme ça toute la nuit ? Elle ne voulait pas danser, personne ne la faisait danser. La vache meuglait. Il fallait se lever, la traire pour que Jérôme ait du lait. Et ce drôle de bruit, tap, tap, tap, comme une enclume, et toujours ces sabots de chevaux qui lui martelaient la tête. Est-ce qu'ils ne pourraient pas s'arrêter de tourner ? Depuis que tante Blanche ne les montait plus, Manuau disait que c'était mauvais. Des pleurs d'enfants. Pourquoi Jérôme pleurait-il ? Qui les faisait pleurer ? Elle ne voulait pas qu'on ennuie son bébé ! Alors elle se mettait à pleurer en criant son nom.

Combien de jours, de semaines disloquées, incohérentes, avant de se réveiller un matin en pensant avec un soupir : « Encore ce vent qui souffle, on en a pour toute la journée ! », de repousser les couvertures pour se lever, de se redresser, un pied dans le vide, et de retomber, suffoquée, sur l'oreiller, tête tournant, cœur chaviré.

Mais qu'avait-elle ? Elle n'attendait pas tout de même un autre enfant ? Non, voyons, c'était impossible ! Alors ? Elle serrait les dents, se redressait à nouveau : mais où était-elle ? Quelle était cette chambre ? D'où venait cette glace dorée ?

Et assis, là, dans ce fauteuil, plus grand, plus lourd, plus basané encore que dans son souvenir...

Elle dit faiblement :

— Vous !

Il leva la tête :

— Fanny ! Fanny, vous me reconnaissez vraiment ?

Quelle question stupide ! Était-il devenu fou ? Devant son regard étonné, il souriait :

— Vous avez été très malade, vous savez. Vous aviez eu un choc cérébral et le voyage n'a sans doute rien arrangé, mais il était difficile de vous laisser à Abilene dans le saloon de Pearl ! Votre mari et Paco vous ont amenée ici.

— Pourquoi êtes-vous là et pas Flavien ?

172

Son sourire se figeait un peu mais il répondait avec la même gentillesse :

— Vous avez tant réclamé votre fils pendant votre délire que votre mari est parti à Boston le chercher. On espérait qu'en le voyant vous guéririez.

— Oh, Jérôme va venir ? Quand ?

— Un mois environ. Le temps de reprendre un peu de mine si vous ne voulez pas l'épouvanter, cet enfant !

— Je suis... je suis à ce point effrayante ?

Il eut son sourire railleur :

— A mes yeux indulgents...

Elle rougit et l'interrompit vivement :

— Appelez quelqu'un. Ce n'est pas convenable que vous soyez ici et moi...

— Couchée ? Fanny, que vous êtes sotte ! J'aurais cru que le Kansas vous avait un peu libérée ! Et laissez-moi vous dire, sans vouloir vous blesser, que la tentation s'imagine pour un homme sous un aspect, disons, plus florissant !

— Elle tiraillait le drap entre ses mains si maigres que l'anneau de mariage glissait et elle ne parvenait pas à se mettre en colère : elle était encore si épuisée et c'était, au fond, bien réconfortant de sentir cette force tranquille qui émanait de Claude-Henri, même s'il se moquait d'elle, même s'il se conduisait en homme mal élevé !

— Cette chambre...

— C'est la mienne. Oui, je vous l'ai cédée dans un mouvement généreux. Vous aviez une fichue mine, vous savez, en sortant de cette espèce de vieux buggy que Paco avait réussi à dénicher à Abilene et qui leur a valu de faire un voyage de retour tellement au long cours que moi, ici, je me rongeais d'inquiétude en ne les voyant pas rentrer, et j'imaginais le pire : eux tués et les troupeaux perdus !

— Les troupeaux ? Ils étaient à vous les troupeaux ?

— Mais oui ? Où croyez-vous donc être ?

— Chez vous, vous venez de le dire, mais vous n'avez donc pas acheté une plantation ?

Il se mit à rire :

— Parce que je vous avais parlé de m'installer dans le Sud ? Et que le Sud, pour vous, ce ne peut être que des acres de terre rouge, du coton et des Noirs ? Vous avez trop fréquenté, à Boston, Mme Beecher-Stowes ! Vous êtes au Texas, dans mon ranch.

— Mais cet homme que les fermiers voulaient battre a parlé à French. C'est vous, French ?

— Hé oui. Je n'avais qu'un prénom, peut-être vous en souveniez-vous ? Un prénom un peu long pour ici. Ils ont fait de Claude-Henri, Harry, et French a suivi parce que j'avais baptisé mon ranch, le ranch du Français. Cela ne vous rappelle rien ?

Elle hocha la tête, eut un sourire fatigué et, fermant les yeux, se rendormit.

Il resta un moment à la regarder : avec son visage amenuisé et ses cheveux tout emmêlés, dans cette chemise trop grande que Dolorès lui avait taillée dans un drap, elle avait l'air d'une petite voleuse de poules qui s'est fait prendre et qu'on a battue.

Penser qu'elle avait passé trois années à se débattre dans une maison de mottes entre un mari incapable de rien que de rêver et un vieux fou qui se prenait pour un prophète et avait fini par faire brûler la baraque ! Mais maintenant c'était fini. Elle était guérie. Elle vivrait ici, Dolorès la servirait et Paco déjà l'adorait. Il lui donnerait un cheval, un palomino comme le sien, et ils galoperaient dans les herbes, dans le vent, libres...

Libres ? Il ferma d'un coup sec ses mains brunes. Voilà qu'il devenait comme son mari : il rêvait !

Rêver... Après tout, pourquoi non ? Une fois dans sa vie... Il n'en avait jamais pris le temps.

A présent qu'Abilene ouvrait enfin aux troupeaux du Texas les marchés de l'Est, la menace qui pesait sur le ranch du Français s'estompait : quels que soient les impôts, ils seraient désormais payés.

Et il faisait un si bel automne ! Le roux des herbes et le rouge des chênes, le cuivre des érables et le fauve de la lumière semblaient faits pour Fanny, pour les coulées d'or brun de ses cheveux, pour ses yeux couleur de topaze brûlée, pour ce teint hâlé de bohémienne que lui redonnaient peu à peu le soleil et le vent des longues courses à cheval qu'ils faisaient ensemble.

En sortant de ce long délire qui avait emprisonné son esprit pendant cinq semaines, elle mettait à revivre une ardeur de poulain qui se roule dans la première herbe drue du printemps. Et il ne se lassait pas, lui, de la regarder : elle avait un visage tellement triomphant de jeunesse et un rire si éclatant !

Flavien avait écrit de Boston que Jérôme allait bien, de ne pas s'inquiéter s'il devait un peu différer leur retour, mais miss Diana était malade, très malade, et il ne pouvait pas, sans manquer à une élémentaire courtoisie, enlever juste à ce moment-là à Phœbé un enfant auquel elle s'était tellement attachée. Fanny avait répondu tout de suite pour rassurer Flavien : elle aussi allait bien maintenant et elle comprenait le retard de Flavien.

Rassurée sur son fils, sachant qu'elle allait enfin le revoir bientôt, elle s'abandonnait à une joie de vivre qu'elle n'avait jamais jusqu'alors éprouvée, et qui l'émerveillait.

Claude-Henri, dès qu'elle avait été assez forte pour commencer à sortir, lui avait donné un cheval qu'elle avait sur-le-champ baptisé « Roi-Mage » parce qu'il avait, trouvait-elle, un air à la fois mystérieux et royal et de grands yeux sombres qu'elle estimait orientaux ! C'était un cheval fait pour apporter en ambassade des soieries et de l'or, de l'encens et des pierreries.

— Et la myrrhe, avait demandé en riant Claude-Henri, la myrrhe amère dont le parfum est si âcre en brûlant ?

Elle avait rayé la myrrhe du même petit geste insouciant dont elle écartait d'elle tout ce qui n'était pas allégresse et bondissement. Et elle l'entraînait, consentant, heureux, dans ce tourbillon de lumière et d'ardeur dont elle était l'axe fragile. Comme elle entraînait Paco, le sombre Paco qu'on avait vu rire de satisfaction — ce miracle ! — la première fois qu'elle avait paru vêtue de pantalons de coutil bleu avec les mêmes bottes, la même chemise à carreaux, le même foulard rouge et le même chapeau que les cow-boys ou que les vaqueros ! C'était tellement plus commode pour galoper à cheval, à travers le ranch, comme un homme. Et ce qui eût été ailleurs impossible, ici le devenait.

Quand ils partaient, tous les deux seuls, toute la journée, qu'ils s'arrêtaient dans un camp de bétail ou dans l'autre, pour partager avec les cavaliers leur repas fruste de porc et de maïs, jamais Claude-Henri n'avait surpris de regards équivoques posés sur eux.

Ils accueillaient Fanny comme ils l'auraient fait d'un jeune cavalier, un novice. Elle était si mince que dans ces habits d'homme elle n'avait nullement l'air déguisée, et ses gestes, ses paroles, son rire étaient spontanés, francs, ne pouvaient provoquer aucune ambiguïté. Les hommes le sentaient, même les plus épais, et Claude-Henri se fût promené avec un jeune frère qu'il n'eût pas été autrement accueilli.

Cela tenait aussi au fait que Fanny avait si peu de coquetterie, qu'on l'avait élevée dans l'idée qu'elle était laide et que l'amour physique ne l'avait jamais troublée, sauf peut-être le bref instant où Mathieu de Livran l'avait embrassée. Et il n'y avait en elle ni ruse ni détour.

Claude-Henri, qui se débattait, lui, par moments, avec un désir d'elle qui n'avait rien de platonique, ne pouvait supporter l'idée qu'elle ne ressente aucune attirance pour lui, mais en même temps il craignait plus que tout de voir cesser ces jours de grâce.

Un soir qu'ils s'étaient attardés au nord du ranch — la nuit tombait vite en octobre — et qu'il était ennuyé de devoir faire presque dix kilomètres dans l'obscurité, elle dit spontanément :

— Eh bien, couchons ici ! Il fait tellement doux et j'ai tellement rêvé de dormir une fois, une seule, à la belle étoile ! Oh, je vous en prie, dites oui !

Il dit en hésitant et en cherchant avec soin ses mots :

— Vous ne craignez pas que ce soit tout de même dépasser un peu trop les libertés admises, fût-ce dans un ranch ?

Elle se rebiffa :

— Parce que c'est la nuit et que vous êtes là ? Que les conventions sont donc absurdes ! Ne peut-on mal agir aussi bien le jour ? Et je trouve assez incroyable que ce soit vous, le rebelle, l'insoumis par définition, vous qui vous moquiez sans cesse de moi et de mes scrupules, qui veniez à présent parler de « libertés admises » ou non !

Il fut piqué au vif :

— Eh bien, dormons ici. Puisque vous le voulez !

— Mais vous savez, précisa-t-elle avec une joie enfantine qui l'amusa, je veux absolument dormir comme les cavaliers, sur la terre, roulée dans mon tapis de selle !

— Bien, bien, fit-il d'un ton moqueur. Ne venez pas demain vous plaindre si vous avez des courbatures partout ! C'est assez dur, vous savez, la terre quand on n'y est pas habitué !

Elle se mit à rire, se fit expliquer comment disposer le tapis de selle et s'enroula dedans.

Il fit de même.

C'était une nuit douce, une des dernières sans doute de l'arrière-saison. Ce qu'on appelait « l'été indien », prélude, en général, aux premiers froids de l'hiver.

Il n'y avait aucun vent, pas de lune mais beaucoup d'étoiles et cette transparence du ciel qui était le propre de l'automne au Texas. Les cavaliers qui surveillaient les troupeaux avaient allumé des feux sur les collines. A ces endroits-là, la nuit semblait rose.

Dans le silence, dans la pureté cristalline de l'air, les voix portaient loin. Près duquel de ces feux chantait le cavalier que Fanny et Claude-Henri écoutaient rythmer le vieux refrain : *Home on the range* — Une maison sur le ranch :

« Ô donnez-moi une maison
» Où rôde le bison,
» Où jouent le daim et l'antilope,
» Où jamais on n'entend d'accablantes paroles,
» Où le ciel n'est pas tout le jour nuageux… »

Lorsque la voix se tut, Fanny dit lentement, un peu comme on rêve à voix haute :

— Pendant des années, en France, à Boston, au Kansas, je me suis sentie en marge des autres, différente des autres sans savoir pourquoi, sans y pouvoir rien. Ici je me sens enfin à ma place et j'aime cette vie parce qu'elle est ce dont j'avais toujours rêvé en croyant que c'était irréalisable : une vie libre, et qu'elle soit sauvage et dure ici ne m'effraie pas.

Elle ajouta après un silence :

— Je suis heureuse, tellement heureuse, et quand Jérôme sera là, ce sera vraiment le paradis !

Ce fut alors plus fort que lui : les phrases qu'elle venait de dire correspondaient si bien à ce que lui-même éprouvait qu'il ne put supporter de rester dans le doute et volontairement il la provoqua :

— Que comptez-vous faire quand votre mari sera revenu, car je suppose que vous n'envisagez pas de rester ici ? Avec la somme que je lui ai remise pour le dédommager des terres ravagées par mes troupeaux, il pourra toujours acheter un petit ranch, bien qu'il ne soit pas davantage fait pour ça que pour gérer une ferme au Kansas !

Il avait accumulé en quelques phrases ce qui pouvait le mieux la blesser et il souffrait lui-même comme il ne l'aurait jamais cru possible.

Elle eut une plainte d'enfant :

— Que vous pouvez être méchant ! Que vous ai-je fait ?

— Fanny, vraiment, vous n'avez pas encore compris ?

Il y eut un silence.

— Si, dit-elle enfin avec lassitude. Si, j'y avais pensé, quelquefois. Mais j'avais espéré... oh, je ne sais pas...

— Espéré quoi ? Fanny, je veux savoir.

— Espéré que je me trompais.

Dans la nuit, près d'un autre feu, un autre cavalier chantait sur une autre colline : « Come along, boys, and listen me... » A Sédalia, il y avait une fille aux grands yeux et aux cheveux noirs, aux lèvres de rubis que j'aimais embrasser...

Fanny dit brusquement :

— Je voudrais rentrer. Vous aviez raison. C'était insensé.

Il se leva, l'aida à replier son tapis de selle, à monter sur Roi-Mage, et ils rentrèrent sans dire un mot.

Le lendemain, il partit à l'aube en prévenant Paco qu'il avait à faire à San Antonio et qu'il ne rentrerait sans doute pas de quelques jours.

Fanny se retrouva seule aux repas avec Paco et Dallas. Depuis que dans son délire elle l'avait pris pour Mathieu de Livran, elle s'était toujours sentie mal à l'aise face à Dallas. Lui se montrait, de son côté, poli et froid.

Ce fut au cours d'un des premiers déjeuners qui suivirent le départ de Claude-Henri qu'éclata l'incident.

Fanny était, sans vouloir l'admettre — car s'analyser risquait de se révéler dangereux —, désemparée par la solitude nouvelle où elle se trouvait, et ce jour-là, elle n'avait pas pu sortir tant il pleuvait — une neige fondue qui annonçait l'hiver. Elle arriva à table, nerveuse et de mauvaise humeur.

Dallas, qui d'ordinaire était muet, commença à faire une série de réflexions déplaisantes sur les Yankees. Paco, espérant arranger les choses, dit entre haut et bas :

— On ne peut pas trop en vouloir à un gars qui est de Géorgie.

— Oui, dit Fanny, la Géorgie, quand on en parle ici, c'est l'État martyr qu'a traversé Grant, mais se rappelle-t-on parfois qu'Andersonville était également en Géorgie ? Je sais ce dont je parle. Mon mari y était prisonnier et il y serait mort s'il ne s'était pas évadé. Mort dans des conditions d'horreur qui valent largement les horreurs qu'a pu commettre Grant.

— Si vous n'étiez pas une femme, dit Dallas qui était devenu blême, je vous descendrais sur-le-champ.

— Parce que je dis la vérité ?

— La seule vérité, c'est qu'on n'en a pas assez fait crever dans ce camp ! Et je ne supporterai pas votre vue plus longtemps !

Il se leva de table en jetant par terre avec fureur son assiette et son verre et il quitta la pièce.

Fanny était très rouge.

— Je regrette, dit-elle à Paco, mais vous avouerez qu'il m'a provoquée à la fin !

— Oui, dit Paco. Il est comme ça. Il cherche la bagarre à tout prix. Si French avait été là, il se serait tu. Il a la haine en lui, mais il a aussi l'amour. Pour French. Et ça lui déplaît que vous soyez là.

Fanny rougit de nouveau :

— Il peut se rassurer. Dès que mon mari sera arrivé et mon fils, nous quitterons le ranch.

— Oui, dit Paco. Oui. Mais ce ne sera plus comme avant. Enfin, d'un bout de temps. Ici, nous trouvons tous qu'il devrait se marier. Et Hunter a des filles qu'il serait bien content de céder. Des filles comme il en faut dans un ranch, qui ne font pas de manières, savent se taire et donner des ordres sans que ça se voie. Des filles nées là quoi !

Était-ce une condamnation de la façon dont elle-même agissait ? Pourquoi Paco, qui jamais ne se mêlait de rien d'autre que de la conduite du ranch, lui avait-il fait cette curieuse confidence ? Se méfiait-il de quelque chose ? Voulait-il la décourager ou plus simplement comptait-il sur l'ascendant qu'elle paraissait avoir sur Claude-Henri pour le convaincre de se marier ?

Fanny tourna et retourna toutes ces pensées dans sa tête et il fallut bien qu'elle s'avouât un jour qu'elle était jalouse, sans les connaître, de ces filles Hunter qui pourraient venir vivre là. Et de la jalousie, on glissait à l'amour. Il fallait bien aussi admettre que cette vie de ranch la rendait moins heureuse sans Claude-Henri.

Alors, elle s'obligea à recommencer de longues courses, à présent solitaires, dans les rafales de vent froid ou sous la pluie qui n'arrivait pas à être de la neige. Si elle en tirait encore de la joie, ce n'était plus exactement la même et elle commença à trouver que Flavien tardait vraiment beaucoup à ramener Jérôme.

Claude-Henri avait parlé d'une semaine, il y en avait trois à présent qu'il était parti ; et comme Dallas ne prenait plus ses repas avec elle, elle se retrouvait seule avec Paco, ce qui n'était pas spécialement gai !

Un jour qu'elle se promenait assez loin, sous un ciel bas annonçant cette fois la neige, elle rencontra Dallas. Il avait arrêté son cheval près de la rivière et il regardait les eaux jaunes avec un visage si tourmenté, si douloureux que Fanny, après avoir hésité, arrêta Roi-Mage et se rapprocha lentement de Dallas.

Il n'avait pas levé la tête, mais il sursauta en entendant sa voix et la regarda d'un air si dur qu'elle hésita de nouveau, puis elle dit :

— Pour l'autre jour, je regrette.
— Pas moi. Allez-vous-en.

Et comme elle hésitait encore, il ajouta :
— Il est rentré. Allez donc le retrouver !

Plus encore que la haine, la souffrance qui se lisait dans ses yeux clairs la bouleversa. Elle partit lentement et ne rentra qu'à la nuit tombante ; il commençait à neiger.

Claude-Henri était dans la grande salle, adossé au feu, et en la voyant il ne s'avança pas, ne bougea pas. Ce fut elle qui dit :

— Bonsoir.

— J'ai des nouvelles pour vous. Miss Diana est morte et votre mari s'est embarqué avec votre fils et miss Phœbé. Ils seront là, je pense, dans une huitaine de jours. (Il se tourna vers Paco qui entrait.) Tu diras à Dallas que je l'attends dans mon bureau.

Et il s'y rendit.

Dallas arriva peu après. Claude-Henri le regarda un moment sans rien dire.

— Je voudrais préciser avec toi un point : si Mme Morange est ici, c'est ta faute. Je ne t'ai jamais parlé de ça mais tu m'y obliges. Quand les fermiers vous ont attaqué près d'Abilene, les bêtes de tête étaient au moins à six milles de l'habitation des Morange. Tu ne me feras pas croire qu'un homme aussi habitué aux troupeaux que toi a eu besoin de parcourir six milles avant de réussir à arrêter la panique ? D'autant que tu avais tous tes cavaliers sauf Paco. Nous sommes bien d'accord ?

— Oui.

— Tu as laissé volontairement les bêtes galoper comme des folles sur des terres qu'elles ravageaient et puis tu as croisé des fermiers — trois fermiers —, tu en as reconnu un, un gros, que tu avais vu emmener Paco. Tu lui as fait dire où il était, après quoi tu l'as tué et tu as poussé tes bêtes dans la direction qu'il t'avait indiquée ; et si Paco ne s'était pas trouvé là, tu n'aurais pas hésité à jeter tes bêtes contre la maison. Et tu l'aurais détruite même s'il y avait eu des gens dedans, des enfants, des femmes, qu'est-ce que tu en savais ? La haine, à ce degré-là, je ne la comprends plus et elle m'inquiète. Je te donne aujourd'hui un premier avertissement : M. Morange arrive la semaine prochaine. Il s'est battu dans les armées yankees, il a été prisonnier à Andersonville et il est l'hôte de ce ranch ; je veux que tu te tiennes tranquille, tu entends ? Sinon, je te préviens, il y a d'autres ranchs dans la région.

— Pendant tout le voyage de retour d'Abilene, je l'ai supporté, non ? Et supporté aussi le train de tortue que le buggy nous imposait ! Alors pourquoi venez-vous à présent me menacer ? Parce qu'elle vous a fait son rapport ? Comme Paco vous avait fait l'autre en questionnant les cavaliers ?

— Elle ne m'a fait aucun rapport. Ce n'est pas son genre.

— Bien sûr ! Elle a toutes les qualités, et depuis qu'elle est là il n'y a qu'elle qui compte ! Les autres, vous vous en foutez !

— Si je m'en foutais, Dale, tu serais déjà dehors, et pas à cause d'elle ni de vos petites disputes de gamins, mais parce que les hommes qui tuent sans nécessité, par plaisir morbide, je n'en veux pas chez moi ! Cette fois tu as compris ?

Dallas regarda, et le rappel de l'ange accroché au mur de la chambre de sa mère frappa de nouveau de malaise Claude-Henri.

— Vous avez peur que je vous descende ?

— Non. Tu ne le feras pas par-derrière, et je crois que de face, je serai plus rapide que toi.

Dallas sortit sans répondre et il recommença à dîner avec eux.

IV

Pourquoi, mais pourquoi restait-il dans la salle ? Il souriait aimablement à Phœbé mais son regard était rivé sur elle, Fanny, sur elle seule — un regard qui scrutait impitoyablement chacune de ses expressions, chacun de ses gestes, et elle finissait par ne plus penser qu'à ce regard alors que Flavien venait d'arriver et que Jérôme, son bébé, était enfin là !

N'aurait-il pas dû comprendre qu'après la déclaration d'amour discrète mais nette qu'il lui avait faite un soir, c'était manquer du tact le plus élémentaire que de s'obstiner à rester là ?

Quand, cinq minutes avant, en rentrant d'une errance de plus sur Roi-Mage elle avait vu toutes les fenêtres éclairées, que Paco lui avait crié : « Ils sont arrivés », elle avait sauté à terre, grimpé quatre à quatre l'escalier extérieur, poussé la porte et dit : « Jérôme », en tendant les bras au bébé qu'elle avait laissé quatre ans avant marchant à peine et qui était devenu ce petit garçon dont elle ne reconnaissait plus que les yeux. Des yeux fendus en amande qui la considéraient gravement. Sans rien exprimer.

Elle avait voulu le serrer contre elle, mais il l'avait repoussée de ses petits bras, s'était accroché à la jupe de Phœbé :

— Pourquoi le monsieur m'embrasse ? Je ne veux pas l'embrasser. Je veux voir maman. Où elle est maman ?

Dans un silence soudain qu'avait rompu la voix mécontente de Flavien :

— Il faut reconnaître, Fanny, que ce déguisement est assez stupéfiant ! Tu ne pouvais pas te faire faire une amazone ? Va mettre une robe, je te prie !

Et cette boule dans la gorge qui ne cesse de grossir, et l'étouffe, et l'étrangle, tandis que le regard de Claude-Henri la cloue à un pilori qui l'aide à se redresser, à ne pas fondre en larmes, à dire :

— Je n'ai pas de robes.

— Pas de robes ? Tu veux dire que tu passes toutes tes journées habillée de la sorte ? En cow-boy ? Mais, Fanny, tu es devenue folle !

... Les grands yeux noirs de Jérôme, son visage impassible, sa petite bouche serrée, et elle qui n'en finit plus de rouler au fond de cet abîme ; une étrangère pour son fils. Elle l'avait un peu pensé et qu'il ne crierait pas « maman » en la voyant, mais cette indifférence toute prête à devenir hostile, et l'avoir prise pour un garçon... non, ça, comment aurait-elle pu l'imaginer ? Et elle avait pensé que Flavien serait amusé... Elle leva sur Phœbé un regard si plein de détresse que la vieille demoiselle sortit de son mutisme — sans doute avait-elle été elle aussi suffoquée ? — sourit :

— Ne croyez-vous pas, monsieur Morange, qu'il est peut-être finalement plus convenable pour une femme qui vit dans des conditions assez rudes et seule au milieu d'hommes de s'habiller comme eux plutôt que d'aller promener sous leur nez trop de volants et de décolletés ? Moi, je la trouve très correcte là-dedans, et ce qui importe plus : elle a très bonne mine ! Vous savez, Fanny, que votre mari nous avait pas mal effrayés ?

186

Elle ne disait rien de l'attitude de Jérôme. Par charité.
Flavien reprenait :

— Heureusement que moi j'ai apporté des robes ! Tu vas
pouvoir les étrenner. (Il se tournait vers Claude-Henri :)
A-t-on monté mes malles ?

— Dans votre chambre.

— Alors, viens ! Et tu verras qu'après la transformation
cet enfant ne te prendra plus pour un homme !

Elle le suivait comme une somnambule se dirigeait vers sa
chambre, poussait la porte et regardait avec surprise la veste
de Claude-Henri, son ciré, ses livres, ses cigarettes... Mais
ses affaires à elle, où étaient-elles passées ?

Flavien disait avec impatience :

— Fanny, que fais-tu ? Notre chambre est par là, voyons !
French a fait un réel effort pour le mobilier ! Elle était moins
meublée quand je t'y avais laissée !

Il avait donc attendu que Flavien soit parti à Boston pour
l'installer dans sa chambre à lui qu'il récupérait à présent,
brutalement. Sans la prévenir. Sans lui en dire un mot !
L'impression de gouffre s'accentuait et où était le fond ?

Flavien s'agitait autour des malles — quatre énormes
malles remplies de quoi ? De vêtements seuls ? Ce n'était
pas possible ! Pour quoi faire ?

Il sortait une première robe, puis une autre, les posait sur
le lit, redressait des volants, arrangeait d'une chiquenaude
des berthes froissées, et elle regardait, consternée, ce taffetas,
ce satin, ces guipures et surtout, lui Flavien, affairé, heureux,
ridicule. Est-ce qu'un homme devait s'occuper de cela ? Et
il avait tellement l'air d'un citadin avec son gilet brodé, sa
cravate à trois tours et cette redingote si ajustée qui
soulignait ce qu'elle avait remarqué au premier coup d'œil :
en trois mois, Flavien avait beaucoup grossi et son visage

187

était blafard avec des poches sous les yeux. Elle pensa : dans dix ans, il sera le portrait de Cyprien. Il n'a dû faire aucun exercice à Boston, trop manger, trop boire et se coucher trop tard !

— Laquelle veux-tu mettre ? Choisis ! Elles te plaisent !

— Elles ont dû coûter une fortune ! C'est de la folie, mon pauvre ami !

Il prenait son air boudeur qui était émouvant quand il avait encore un visage mince de très jeune homme et qui faisait maintenant vieil enfant. Ou bien était-ce parce que le visage de Claude-Henri, ses attitudes étaient, elles, celles d'un homme et qu'elle s'y était habituée ? Elle essaya de le chasser de son esprit, de sourire à Flavien.

— Celle-là est très jolie. Je vais la mettre.

Elle était surtout un peu plus discrète, taffetas bien sûr mais écossais, dans des bruns et des roux que relevaient de l'orange et du vert. Et fermée ras du cou par un col de dentelle blanche.

Flavien souriait de nouveau :

— Oui, j'ai eu raison, je crois. Là-dedans, tes cheveux et tes yeux...

Elle avait enlevé son gilet de mouton, sa chemise à carreaux, et Flavien s'approchait, murmurait :

— Mon Dieu, Fanny, que tu es jolie en ce moment !

Sa bouche aussi s'approchait et ses mains. Elle saisit vivement la robe :

— Aide-moi à la passer. Oh, Flavien, je t'en prie ! Essaie de comprendre, je voudrais tellement voir ce que Jérôme va dire cette fois ! Laisse-moi ! Nous aurons tout le temps ce soir !

Dans la nouvelle chambre, il y avait une glace beaucoup moins jolie que la glace baroque à laquelle elle s'était accoutumée, et brusquement elle pensa que c'était aussi cela que Claude-Henri n'avait pas voulu. Flavien et elle... Elle rougit si violemment que Flavien sourit :

— Tu as des airs, mon cabri, de jeune épousée ! Ce qui, au fond, me flatte ! Un baiser, juste un baiser. Cette robe te va si bien !

Apparemment ce ne fut pas l'avis de Claude-Henri. Lorsqu'elle arriva en courant dans la pièce où il conversait aimablement avec Phœbé qui tenait sur ses genoux Jérôme, il murmura : « Quelle élégance ! » sur un ton si railleur qu'elle rougit de nouveau, et s'agenouillant pour être à hauteur de Jérôme, elle dit avec un peu trop de véhémence :

— Et mon petit garçon, est-ce qu'il aime, lui, la robe de sa maman ?

L'enfant demeurait impénétrable. Phœbé le posa doucement par terre, dit :

— Va sur les genoux de maman, mon chéri, va. Moi je dois monter dans ma chambre, ranger mes affaires.

Flavien arrivait. Jérôme se laissa installer sur les genoux de Fanny qui se mit à lui caresser les cheveux. Et elle disait avec tendresse de ces riens que disent toutes les mères :

— C'est mon petit garçon à moi, c'est mon poussin chéri, mon petit Jérôme...

— Cette robe est ravissante, dit Claude-Henri à Flavien, et je vous complimente sur votre goût. Cette touche de vert, c'est un raffinement. On aimerait avec cela quelque bijou, je ne sais pas, moi, des boucles d'oreilles par exemple avec aussi du vert.

Fanny serrait Jérôme contre elle et s'était tue.

— Imaginez, mon cher, dit Flavien, qu'elle en avait de superbes, émeraudes et perles de la plus grande qualité, et elle a jugé bon d'aller les vendre, et je vous donne en mille pourquoi ! Pour cette espèce de fabrique de madeleines qu'elle s'était mise en tête de monter ! J'y ai mis bon ordre, mais pour les boucles d'oreilles c'était trop tard et le mal était fait !

— A qui donc les aviez-vous vendues ? demanda Claude-Henri à Fanny.

Il y eut un silence puis elle dit d'une voix qui tremblait un peu :

— A un de ces profiteurs de guerre, de ces spéculateurs qui ont fait fortune à cette époque-là. Il n'avait rien d'un gentleman, je vous assure, et il n'a pas dû changer !

— Madame, dis, madame, où elle est tante Phœbé ? Je veux aller la trouver !

Fanny posa brusquement Jérôme par terre et s'en alla de la salle précipitamment.

— Mais, dit Flavien interloqué, mais enfin qu'est-ce qui lui prend ? Elle n'a pas l'air si bien guérie que je le croyais ! Qu'en pensez-vous, French ?

— Je pense, dit-il lentement en regardant au loin, que ce doit être très pénible pour une mère qui attendait avec tant d'impatience, après tant d'années de séparation son enfant, de le voir successivement la repousser en pleurant et l'appeler madame.

— Oh, ce sont des détails, et elle serait bien sotte de s'attarder à ça ! (Et comme Jérôme ne cessait de répéter : Où elle est tante Phœbé, je veux voir tante Phœbé :) Vous n'imaginez pas comme cet enfant peut être assommant, il parle sans arrêt et vous harcèle de questions ! Mais je ne sais pas, moi, bonhomme ; où elle est tante Phœbé ! Tiens-toi tranquille !

Claude-Henri ferma d'un coup sec ses mains brunes.

— Viens avec moi, on va essayer de la trouver !

En arrivant près de la porte de la chambre de Phœbé, il s'arrêta et retint par la main le petit garçon. De l'autre côté de la cloison de bois, on entendait des sanglots et une voix enfantine, pitoyable, gémissait :

— Miss Phœbé, ô miss Phœbé, j'ai tant de chagrin, tant de chagrin et de tout, de tout. J'étais si heureuse, si heureuse, et maintenant, maintenant, oh, oh...

— Viens, dit-il à Jérôme, viens, je vais te montrer quelque chose qui sûrement t'intéressera. Dis-moi, sais-tu ce que c'est qu'un poulain ?

— Oui, dit Jérôme, un enfant de cheval tout petit, petit.

— Alors, je vais t'en montrer un et je te le donnerai, mais il faudra que tu sois très gentil avec ta maman ; la dame, tu sais, c'est ta maman et tu ne dois plus jamais l'appeler madame. Elle est gentille, tu ne trouves pas ?

— Je ne sais pas, dit Jérôme. Je veux voir le poulain. Si vous me le donnez, je monterai dessus et j'irai faire la guerre aux Indiens.

*   *
 *

Elle était assise devant la glace, vêtue d'un peignoir de satin bordé de cygne que Flavien avait également acheté à Boston, et elle défaisait lentement, une à une, les épingles qui retenaient son chignon.

Flavien était déjà couché :

— Dépêche-toi un peu ! Qu'est-ce que tu as à traîner ! Sans compter qu'on gèle dans cette chambre !

— On gelait davantage à Chamane Lodge ! Tu as déjà oublié ? Flavien, dis-moi, est-ce qu'il reste encore quelque chose de la somme d'argent que French t'avait donnée ?

Il eut un geste insouciant :

— Tu sais, à Boston, on ne vit pas aussi économiquement que dans un ranch ! J'ai dépensé pas mal, mais comme tu as pu voir, je ne t'ai pas oubliée !

— Sans doute as-tu revu tous nos anciens amis et les as-tu éblouis en leur racontant que tu vivais en seigneur dans un domaine immense, et, comme il fallait bien des preuves à l'appui, tu as jeté les dollars par les fenêtres !

— Et quand cela serait ! J'ai anticipé, voilà tout ! J'avais été assez humilié dans cette ville. J'ai pris ma revanche. Mais le ranch, je suis toujours décidé à l'acheter !

— Avec quel argent ?

— French m'en prêtera sûrement. Après tout, si nous en sommes là, c'est la faute de ses troupeaux !

— Il t'a déjà dédommagé !

— Une misère et pour lui, une goutte d'eau !

— Et s'il refuse d'en prêter ?

— On en trouvera un autre !

— Et en attendant, nous serons obligés de rester chez lui, de manger son pain, de lui dire merci, comme des mendiants !

— Fanny, voyons ! Tu l'as entendu comme moi, au dîner. On ne pouvait mettre plus de délicatesse, plus de bonne grâce à nous faire comprendre que nous étions les bienvenus chez lui tout le temps que nous voudrions !

— Il s'adressait à tante Phœbé, pas à nous.

— Oh, cesse de couper un cheveu en quatre ! Et viens te coucher, mon cabri. Je meurs d'impatience, moi, tu sais, après tant de semaines loin de toi !

Non, ce soir c'était impossible, n'importe quand mais pas ce soir. Elle n'avait qu'une envie : pleurer, pleurer, et qu'il la laisse tranquille.

Elle enleva la dernière épingle, se glissa dans le lit repoussa le bras de Flavien :

— Je t'en prie, laisse-moi. Je suis encore si fatiguée et... si nerveuse... Je crois que si tu me touches, oui, si tu me touches, je ne pourrai pas m'empêcher de crier !

Flavien riait :

— Quand je te disais tout à l'heure, une épousée, tout à fait une nouvelle épousée. Fanny, je t'aime...

Qu'est-ce qu'ils appelaient donc amour ? Leur satisfaction personnelle, leur plaisir égoïste, et si vous disiez non, ou ils riaient comme Flavien et insistaient, insistaient jusqu'à ce qu'on finisse de guerre lasse par leur céder — avec une révolte proche de la haine. Ou alors — et c'était peut-être pire — ils vous faisaient souffrir exprès parce qu'eux souffraient.

* * *

Quelques jours plus tard — c'était la veille de Noël — Claude-Henri vint trouver tante Phœbé :

— Je voudrais, miss Holmes, que vous me secondiez pour aider à la réussite d'un petit complot. Vous n'ignorez pas que Mme Morange a préféré ne pas dire à son mari qu'elle m'avait jadis donné en garantie pour la pâtisserie ses boucles d'oreilles. Je ne les ai pas vendues et j'avais l'intention de les lui rendre ce soir justement en profitant de Noël. Mais vous imaginez à présent quel est mon embarras. Je ne puis le faire sans la gêner horriblement. Alors je voulais vous demander si vous accepteriez, vous, de les lui offrir à ma place ? Une ruse innocente...

— Et qui ne la trompera pas, elle. C'est, je pense, ce que vous voulez et c'est là où moi je trouve tout cela très peu innocent. Monsieur French, je n'ai que rarement menti dans

193

ma vie, j'entends pour autre chose que des peccadilles, je ne vais pas commencer à mon âge et un soir de Noël. J'ai de l'amitié pour vous, plus encore pour Fanny Morange, et je vous dis nettement non.

— Tant pis pour moi. Je ne peux vous en tenir rigueur, miss Holmes. J'aurais dû penser que vous comprendriez très vite ce qui se passe entre nous. Tout le monde ne peut avoir l'infantile insouciance de son mari.

— M. Morange, que par ailleurs je n'aime guère, est un homme qui vous croit son ami et cela suffit pour que, même en face de l'évidence, il la nie. Ce n'est pas bien à vous d'en parler sur ce ton !

Phœbé attendait tout de même la suite avec appréhension, et lorsqu'elle vit Fanny, pâle comme la cire des bougies, déplier le paquet, ouvrir l'écrin et rester pétrifiée face aux boucles d'oreilles, elle ne put se tenir d'avoir pour Claude-Henri cette admiration que l'audace des hommes suscite chez les femmes qui l'appréciaient :

Flavien s'exclama :

— Mais enfin, mais comment… mais qui…

La tension devenait intolérable.

— Fanny, dit brusquement Phœbé, je vous rends ce que vous m'aviez autrefois prêté.

— Merci, dit Fanny d'une voix blanche. Je ne l'oublierai pas, miss Phœbé.

Dans le brouhaha des domestiques dépliant à leur tour leur cadeau, les trépignements de joie de Jérôme face au poulain promis, les cris, les embrassades, les « hombre » de Paco, Claude-Henri se rapprocha de Fanny :

— Vos cadeaux, dit-elle, ressemblent beaucoup à des punitions. Si miss Holmes n'avait pas menti…

— J'étais certain qu'elle le ferait. Elle vous aime. Et moi, je n'avais guère que ce moyen de vous exprimer mes regrets. Je vous promets, Fanny, de ne plus rien tenter qui ajoute à votre détresse. Je vous aime assez, je crois, pour tenir ma parole, si dur que ce soit.

En relevant la tête, elle croisa le regard de Dallas. Il tenait à la main la selle que Claude-Henri venait de lui offrir. Il la jeta brusquement et cria :

— Allez, les gars, c'est le moment d'entonner notre chant à nous, les Sudistes : Dixie !

Il commença. Tous les hommes se mirent à chanter à sa suite. Parvenus au refrain : « Hurrah, hurrah, hurrah pour Dixieland ! » on eût dit un tonnerre et le silence d'après en parut d'autant plus profond, plus provocante la voix de Dallas :

— Vive la Géorgie sudiste, et que crèvent tous les Yankees comme ils ont crevé à Andersonville !

— Monsieur, dit Flavien en s'avançant vers lui, monsieur, vous me rendrez raison de ces paroles. J'ai combattu avec le Nord et j'ai été prisonnier à Andersonville et j'y serais mort si mon ami ici présent, Harry French, n'avait organisé mon évasion. Je lui rends hommage publiquement mais c'est publiquement aussi que je vous dis, monsieur, vive le général Grant !

Claude-Henri eut juste le temps de l'écarter d'un coup de poing. La balle que Dallas venait de tirer alla se loger dans le mur. Avant qu'il ait pu tirer une seconde fois, Paco et deux hommes l'avaient maîtrisé.

— Dale, dit Claude-Henri, je t'avais prévenu. Tu n'appartiens plus à mon ranch. Sors d'ici.

Dallas regarda la selle tombée par terre, la lança d'un coup de pied vers Claude-Henri et sortit.

— Je suis navré, dit Flavien, de causer ce trouble mais il avait besoin d'une leçon ! (Il sourit à Claude-Henri.) Décidément, nous n'en finissons plus de nous sauver mutuellement la vie !

Claude-Henri ne répondit rien. Il regardait Fanny qui était encore plus pâle que lorsque Dallas avait tiré. Elle baissa les yeux sous son regard puis s'avança, raidie :

— J'ignorais tout du rôle que vous aviez joué dans l'évasion de mon mari.

Claude-Henri continuait à se taire. Flavien avait légèrement rougi. Jérôme, très excité, imitait le bruit des coups de pistolet. Phœbé observait. Le brouhaha reprenait peu à peu. Fanny dit alors avec amertume :

— Quand je songe que je vous avais dit ne rien vouloir vous devoir... On ne devrait jamais prononcer de ces phrases catégoriques, n'est-ce pas ?

Il eut un geste inhabituel chez lui — un geste de lassitude — et s'éloigna sans répondre.

Flavien fut plus prolixe lorsqu'ils se retrouvèrent seuls dans leur chambre :

— Pourquoi je te l'ai caché ? Pas pour minimiser son rôle, non ! Je ne voulais pas en parler, rappelle-toi, mais c'était pour une tout autre raison : j'avais honte.

— Honte ?

— Oui. J'avais abandonné les autres, ceux aux côtés desquels j'avais combattu, aux côtés desquels j'aurais dû mourir. J'ai été lâche, j'ai déserté. Sur le moment je n'ai vu que cela : quitter cet enfer, vivre. Mais après... Je ne voulais voir personne, tu te souviens ? Si je m'étais évadé autrement encore, par mes propres moyens, c'eût été différent quelques-uns l'ont fait ou l'ont tenté. Ce n'était pas méprisable ! Mais moi, je n'ai eu aucune part dans mon évasion

J'ai été échangé comme une marchandise — un troc ! Le major qui dirigeait ce qu'ils avaient baptisé pompeusement l'infirmerie et qui était seulement une morgue, était un garçon jeune, assez idéaliste et qui avait tout tenté pour essayer de se faire donner quelques remèdes. Le général qui commandait le camp refusait obstinément. C'était une sorte de brute et le major le haïssait, et quand French est arrivé et lui a proposé de l'aider à me faire évader en échange d'un lot de morphine et de médicaments alors rarissimes même dans les propres hôpitaux sudistes, il n'a pas hésité une minute. C'est dans sa voiture, caché sous une simple couverture, que j'ai quitté Andersonville : qui aurait soupçonné le major ? Après, French m'a fait embarquer sur un de ces bateaux qui forçaient le blocus et je suis rentré à Boston. Pouvais-je dire, pouvais-je me glorifier de cela ? Fanny, avoue que toi-même, tu me méprises un peu à présent que tu sais ?

— Non, dit-elle nettement. Je ne te mépriserai jamais pour cette raison. Ta mort aurait servi à quoi ?

Il eut un petit rire :

— Tu vois bien, mon cabri, que tu ne comprends pas ! Enfin ! (Il eut un geste insouciant.) J'ai fini par oublier la preuve, j'ai fait un séjour très plaisant à Boston ! Et pour ce qui est de French, après tout, je lui avais sauvé la vie moi aussi autrefois ! Nous sommes quittes !

Elle eut un mouvement de colère :

— Tu trouves ? Alors que nous en sommes réduits à vivre chez lui, que sans lui nous n'aurions ni toit ni...

Il l'interrompit :

— Nous aurions toujours eu celui de miss Phœbé. Oh, je sais, elle ne m'aime guère et me prend pour un rêveur, un incapable, mais tout de même, si elle possède en ce moment la plus grande biscuiterie de Boston, c'est grâce à qui ? A toi et à ton idée de fabriquer des madeleines ; non ? Et, à mon sens, si elle a racheté tes boucles d'oreilles pour te les offrir ce soir c'est qu'elle a eu quelques remords d'avoir obstinément refusé de me prêter la moindre somme !

— Tu le lui avais demandé ?

— Pourquoi non ? Je viens de t'expliquer que...

— Bon, bon. J'ai compris. Pourquoi voulais-tu lui emprunter ? Pour acheter ton fameux ranch imaginaire ?

L'ironie de Fanny le vexa :

— Je vois que miss Phœbé déteint sur toi ! Si tu portais davantage attention à mes conversations, tu saurais que j'ai renoncé à acheter un ranch. French a raison. Je ne suis pas fait pour cela. J'admets aussi que je me suis trompé pour le Kansas, mais les faux pas sont souvent plus utiles qu'on ne croit, ils aident à se connaître. Au fond, j'avais été influencé par mon amour de Chapeau-Rouge, mais les Morange sont avant tout des commerçants — noblesse du négoce qui vaut bien l'autre !

Elle l'écoutait avec inquiétude : il avait ce regard brillant que lui donnait l'exaltation et qu'avait-il été encore imaginer ?

— Tu comprends, en ce moment Abilene s'accroît dans des proportions prodigieuses, avec une rapidité qui nous laisse pantois, nous autres gens de la vieille Europe ! Et un fleuve d'or l'arrose, qui n'est pas près de tarir, celui des troupeaux du Texas. Quel que soit le commerce qu'on y crée, je suis certain qu'il est possible de le doubler, que dis-je, de le décupler en quelques mois ! Tiens, la construction par exemple ! Sais-tu que tout arrive préfabriqué ou presque de l'Est, par le rail ? Et cela coûte un prix exorbitant ! Imagine qu'au contraire on puisse se procurer sur place non ces mauvais placages en bois imitant la pierre ou le marbre, mais de vrais matériaux, que les gens pourraient choisir et qu'un entrepreneur habile, secondé par une équipe...

— Et ces matériaux, d'où les tireras-tu ? Du sol d'Abilene ? On dirait que tu ne connais pas le Kansas !

— Si tu m'écoutais jusqu'au bout au lieu de m'interrompre ! Tu verrais que j'ai tout prévu. J'irai trouver Mac Coy — King le connaît très bien et m'a promis une lettre de recommandation — et par lui la Kansas Railway me consentira des tarifs. Je ferai venir le bois du Missouri par Hannibal ou Saint-Joseph et si je leur assure un transport régulier en quantité importante, ils baisseront leurs prix ! Fanny, je crois que cette fois je repars enfin du bon pied ! Grâce à ces boucles d'oreilles, j'aurai le minimum de fonds qui me manquait ! Et comme tu ne les porteras jamais !

— Et pourquoi non ?

Il éclata de rire :

— Mais mon cabri, regarde-toi ! Tu ne mets même pas les robes que je t'ai achetées à Boston ! Tu as horreur de danser, tu as horreur de sortir ! Je ne connais rien de moins mondain, de moins coquet que ma petite sauvageonne ! Je me demande même comment tu feras quand tu auras un mari devenu millionnaire !

Rien pourrait-il jamais le corriger ? Il rêvait de millions comme il avait rêvé qu'elle serait un jour la reine du Kansas et, cette fois, elle ne se faisait plus guère d'illusion sur ses chances de réussite.

Elle regarda les boucles d'oreilles. « Pour toi seule », avait dit autrefois l'oncle Jérôme. Mais il avait dit également : « Je te permets de les vendre si un jour tu ne pouvais pas faire autrement. » Cette permission, elle en avait usé une première fois. Elle n'avait pas le droit de refuser à Flavien cette dernière chance, dût-il la gaspiller. C'était une question d'honnêteté morale. Et au ranch du Français, depuis ce soir, le terrain devenait étrangement mouvant.

... Si tu ne pouvais pas faire autrement... C'était le cas ! Et doublement...

Elle tendit l'écrin à Flavien.

V

... Des jours âpres où tout pourrait pourtant être encore source de joies : la morsure du vent, la limpidité glacée de la lumière, la sauvage beauté que le dépouillement de l'hiver donne au ranch. Chevaux et cavaliers se détachent sur l'horizon balayé de rafales comme sur fond de steppes jadis les Scythes ou les Tartares, et ils ont la fascinante beauté des barbares.

Le côté primitif de la vie du ranch s'accentue, s'accorde à la rudesse des gelées, des bourrasques, aux couleurs violemment tranchées qui s'opposent ou s'attirent : rouge sang du soleil sur le blanc de la neige, noir des troncs et des ombres, vert des pins, violet du ciel au crépuscule.

Oui, tout pourrait être source de joies, étincellement de cristaux de givre, chaleur plus rayonnante que celle de l'été parce qu'elle naît au cœur du froid : premiers appels de Jérôme, radieux sur son poulain : « Maman, regarde ! Je suis grand, tu vois ! » ; premières admirations : « Il est beau, ton cheval à toi, et il court vite et tu n'as pas peur ! » ; premiers reniements : « Tante Phœbé, elle sait pas, elle a jamais monté un cheval ! »

Elle l'avait dit un soir : un paradis... Oui, ce serait un paradis s'il n'y avait pas une ville nommée Abilene où Flavien est parti, et pourquoi n'écrit-il que ces mots rassurants mais vagues, toujours si brefs ? S'il n'y avait pas surtout ces crispations soudaines du visage de Claude-Henri, ces regards aussitôt détournés qu'aperçus, cette froideur polie à laquelle il s'oblige, des mots qu'il ne dit pas mais que ses lèvres dessinent, des gestes qu'il ne fait pas et qui pourtant la ploient, des silences qui ressemblent moins aux cendres étouffant la braise qu'au souffle qui l'active...

Comment ne le perçoivent-ils pas, les autres ? Phœbé qui, tranquillement, tricote, ou brode, ou apprend à lire à Jérôme, ou discute chiffres avec Claude-Henri lorsqu'elle reçoit les rapports du directeur de la biscuiterie de Boston.

Ou Paco qui continue à dire, lorsqu'ils sont seuls : « Il devrait se marier ! Une des filles Hunter ferait si bien l'affaire ! » Est-il aveugle ou au contraire seul lucide et patient ?

Ou Buck, l'aide-régisseur qui a remplacé Dallas et qui l'a appelée « Madame French », le premier jour, et depuis rougit chaque fois qu'il la voit avec Claude-Henri ?

Dieu sait pourtant que plus jamais ils ne sont seuls ! Ils ne le pourraient plus, ni l'un ni l'autre, sans que se rompe brutalement la précaire neutralité qu'ils affectent. Jérôme est déjà un lien de trop entre eux !

« Maman, viens voir, oncle Harry m'a donné... oncle Harry a dit, oncle Harry a fait... » Toute la journée, oncle Harry ! Et lui ne sourit plus qu'avec Jérôme, se plie à ses caprices, le gâte, le pourrit, le fait jouer et rire !

Un soir, Fanny ne put se retenir de dire à Phœbé :

— Qui aurait cru qu'il aimait à ce point les enfants !

Phœbé continua à tricoter.

— Vous ne le pensez pas ?

— Le ranch, dit sèchement Phœbé, foisonne d'enfants et je n'ai pas remarqué qu'il leur accorde tellement d'attention !

— Peut-être mais avec Jérôme...

202

Phœbé la regarda :

— Il est votre fils !

Fanny rougit et se tut. Phœbé se remit à tricoter.

* * *

La première longue lettre de Flavien arriva en mars. Une étrange lettre qui emplit de malaise Fanny.

Le ton en était bizarre, à la fois emphatique et plat comme si Flavien avait fait effort pour se plagier lui-même, pour faire « ressemblant ». Il ne donnait aucun détail ni sur la vie à Abilene ni sur son entreprise de construction qu'il disait marcher admirablement, au-delà de toutes les espérances et autres formules vagues ! Le seul point précis concernait le piano auquel il disait s'adonner de nouveau pendant de longues heures. Comment pouvait-il avoir autant de loisirs ? Et pourquoi accumulait-il tant de raisons pour qu'elle ne vienne pas encore le rejoindre ?

Des raisons qui ressemblaient beaucoup à des prétextes, et la première idée qui vint à l'esprit de Fanny fut que Flavien avait une liaison à Abilene. La rapidité avec laquelle elle y avait pensé la consterna.

N'était-ce pas la preuve qu'elle vivait hantée par une idée assez semblable ? Le temps émiettait sa résistance, la grignotait sournoisement. De rêveries en hypothèses, de songes vagues en images précises, toutes cristallisées autour de Claude-Henri, elle finissait par ne plus penser qu'à lui, qu'à eux...

Et cette promesse qu'il lui avait faite le soir de Noël, c'était elle, à présent, qui s'agaçait de le voir la tenir aussi fidèlement, aussi strictement...

203

Si Flavien, de son côté, se conduisait avec une autre femme... non, elle refusait, il fallait refuser cette idée. Trop dangereuse. Si Flavien l'abandonnait... Sous le choc premier qu'à cette pensée elle ressentait — Flavien, la seule affection durable qu'elle ait jamais connue — perçait une espérance. Condamnable. Qu'il fallait condamner.

Mais pour quel autre motif Flavien refusait-il d'envisager qu'elle le rejoigne à Abilene ? Ses affaires, sans doute, n'étaient pas aussi florissantes qu'il le disait. Elle commença à s'inquiéter, se mit à marcher dans la chambre, relut la lettre.

Et elle se sentit soudain si seule, si dépourvue de courage pour faire face à une seconde affaire du Kansas, qu'elle traversa le couloir et poussa la porte de la chambre de Claude-Henri. Il était parti depuis trois jours au King Ranch pour préparer avec les autres éleveurs le round-up[1] de printemps. Que risquait-elle ?

La chambre qu'elle avait occupée tant de semaines lui était plus familière que l'autre. A présent, elle sentait le cuir, le tabac, l'embrocation pour chevaux, des odeurs d'homme, réconfortantes comme une présence.

Elle s'approcha lentement du miroir baroque, s'y regarda longtemps. Elle pensait à l'oncle Jérôme et sa grand-mère Balguière, à l'amour qu'ils avaient éprouvé l'un pour l'autre et qui jamais, pourtant, ne les avait joints. A cause du mariage de Laure. Un peu leur histoire à Claude-Henri et elle. Était-ce pour cela qu'il lui semblait avoir à présent les traits de Laure, le même regard dur et triste ?

---

1. Rassemblement des bêtes, chaque printemps, pour les marquer et sélectionner celles qui seront conduites sur la piste pour être vendues.

Elle ne l'entendit pas entrer — il marchait toujours aussi silencieusement que les chats et c'était assez curieux chez un homme aussi lourd. Elle aperçut brusquement sa silhouette qui se reflétait dans la glace et presque en même temps elle sentit ses mains se poser sur ses épaules. Ses yeux lui faisaient face dans le miroir.

Pour tenter de rompre le trouble où le contact de ses mains la mettait, elle dit :

— J'ai reçu une lettre d'Abilene. Une lettre dont je ne sais que penser et qui m'inquiète. Je me demande si je ne devrais pas partir le rejoindre bien qu'il ait l'air de ne pas souhaiter que je vienne.

La pression des mains se fit plus dure sur ses épaules :

— Vous ne partirez pas. J'ai assez réfléchi, assez hésité. Je suis maintenant décidé. Fanny, je sais que vous m'aimez et je désire vous épouser.

Elle se retourna vivement. Elle allait parler, elle allait lui dire... Ce fut lui qui dit :

— Non. Pas tout de suite. (Il l'attira contre lui.) Fanny.

Il posa sa bouche dure sur la sienne et elle éprouva la même sensation qu'autrefois, sous les sureaux, dans les bras de Mathieu de Livran. Mais ce qui n'avait été qu'une esquisse, vite estompée de peur, devenait à présent plénitude. Elle découvrait la violence du désir, sa fulgurance déchirante. Elle plongeait au creux brûlant d'ondes étranges qui la roulaient sous elles, la ployaient, la faisaient rebondir sur leurs crêtes aiguës, dissoute, consentante. Étonnée aussi. Elle qui supportait avec tant de répugnance le contact des lèvres de Flavien !

A la pensée de Flavien, elle se raidit pourtant imperceptiblement. Claude-Henri desserra son étreinte. Elle leva vers lui ce visage un peu flou au regard incertain de quelqu'un qu'on arrache trop brusquement à ses pensées ou à ses rêves. Il sourit et dit avec tendresse :

— Venez vous asseoir là, près de moi.

Elle se serra de nouveau contre lui.

— Quand miss Phœbé partira, vous l'accompagnerez à Boston. La procédure de divorce risque d'être longue et...

— Non, dit-elle vivement, non ! Ne me demandez pas cela !

Il caressa lentement ses cheveux dans un geste apaisant et garda un moment le silence, puis il dit d'une voix lointaine :

— Sur le *Virginian* vous m'avez demandé : n'avez-vous pas de nom ? J'en ai eu un pendant dix-huit années, un très beau nom auquel j'étais attaché, à cause d'un ancêtre surtout auquel je croyais ressembler, un corsaire dont les exploits avaient enthousiasmé mon enfance. Et j'admirais ma mère. C'était une cavalière magnifique, désinvolte, intrépide. Elle incarnait pour moi le courage, la droiture, et quand elle m'amenait dans notre domaine de Camargue où elle faisait seule de fréquents séjours, quand je galopais à cheval à ses côtés, à travers les roselières et les marais, dans le vent qui sentait l'herbe et la mer, j'éprouvais un sentiment de merveilleux qui me grisait. C'est une terre fascinante, la Camargue. Je suis sûr que vous l'auriez aimée... Et puis, un jour, j'ai tout appris en même temps : qu'elle vivait dans un mensonge constant, que je portais un nom usurpé et que j'étais le fils non de celui que pendant dix-huit ans j'avais cru être mon père, mais d'un de ces guardians qu'elle venait retrouver là et qu'elle choisissait de plus en plus jeunes. Nous avons eu, elle et moi, une scène d'explications assez affreuse et j'ai reçu le plus beau coup de cravache en pleine figure que je recevrai sans doute jamais ! Après quoi je me suis enfui et j'ai échoué à Paris, chez un charron de la rue

Roquépine auquel j'ai raconté une histoire incroyable, à laquelle, du reste, il n'a pas cru. C'était en novembre 1851. Quand il est mort sur une barricade, j'ai dit que j'étais son neveu et j'ai pris son nom. Je n'en étais plus à ça près ! Alors, vous comprenez, vivre à nouveau dans le mensonge, je ne le peux pas, je ne le veux pas. Tant que vous ne porterez pas officiellement mon nom, tant qu'aux yeux de la loi vous ne serez pas femme...

Elle l'interrompit avec vivacité :

— Ce ne serait pas du tout pareil ! Et la loi de ce pays n'est pas celle de France ! En France, on ne divorce pas ! D'ailleurs, fit-elle en hésitant, il existe aussi une autre loi, de l'Église, que nous transgresserons forcément ! Alors...

Elle avait parlé avec un soupçon de lassitude qu'il releva aussitôt :

— Épargnez-moi les raisons habituelles aux femmes honnêtes qui veulent bien admettre qu'elles se sont trompées, qu'elles sont malheureuses comme les pierres, qu'elles en aiment un autre, mais qui continuent à penser que c'est la seule ligne de vie que leur conscience leur permette ! Il y a du masochisme inconscient dans cette forme de vertu ! Enfin, Fanny, le Kansas ne vous a pas suffi, vous n'avez pas assez souffert par la faute de votre mari ?

Elle s'était redressée à mesure qu'il parlait :

— Ai-je rien dit de tout cela ? Comme vous êtes injuste, déjà.

— Je ne suis pas injuste mais lucide. Vous ne l'avez pas dit mais vous le pensez, et j'estime qu'il vaut mieux débrider les abcès avant qu'après. (Il ajouta avec plus de douceur :) Je voulais éviter ce genre d'explication entre nous aujourd'hui. Je n'ai pas spécialement réussi !

Elle regardait avec une tristesse soudaine le double pli railleur se reformer au coin de sa bouche dure. Elle, de son côté, éprouvait-elle toujours ce serrement de cœur en pensant à Flavien, abandonné à Abilene au moment où peut-être il était au plus bas, moralement, physiquement...

Claude-Henri l'observait :

— Vous êtes une enfant encore et vous n'avez jamais aimé d'amour votre mari. Que pourriez-vous savoir du pouvoir de l'amour, de sa force ?

— Avant de l'épouser, dit lentement Fanny, j'ai cru aimer un homme que j'avais rencontré et qui...

— Je sais, dit-il avec colère. N'allez pas me parler d'amour là-dedans ! Un coureur de jupons, un bellâtre, et vous, comme une petite alouette écervelée qui se laisse piper à des miroirs truqués ! Le feu de Saint-Jean, le clair de lune, la cabane et lui qui était si beau !

Comment savait-il ? Comment surtout pouvait-il parler ainsi ? Ne comprenait-il pas combien il la blessait ?

Elle ferma les yeux, au bord des larmes.

— Peu importe d'ailleurs le passé ! Seul compte pour moi l'avenir, notre avenir et ça, c'est mon affaire à moi !

— Un peu la mienne aussi peut-être ? Vous disposez, vous décidez, vous ordonnez ! Et si je refuse, moi, d'aller vivre à Boston ? Si je n'ai pas, moi, l'obsession du mensonge ? Dois-je supporter que vous tourniez en dérision mon passé et me soumettre aveuglément aux séquelles du vôtre ? Qui vous dit, d'abord, que je suis prête à divorcer ?

Ils s'affrontaient à présent ouvertement.

— Et qui me dit sans doute aussi que vous m'aimez ? Parce que vous ne m'aimez pas, peut-être ? Vous n'étiez pas tout à l'heure fondante comme la cire entre mes bras ? Je ne me conduis pas en gentleman en vous le disant, je le sais, mais je veux vous forcer à regarder la réalité en face ! Allez-vous sacrifier votre bonheur, notre bonheur, à des chimères ?

— Mon bonheur ! Vous parlez de mon bonheur ! Il est joliment en miettes, mon bonheur ! Personne ne m'a jamais autant blessée que vous, jamais, et ça depuis le premier jour, et ce serait un bel enfer, mon bonheur, si je vous épousais ! Oui, je vous aime mais si je le pouvais, je partirais demain, demain vous entendez, pour Abilene !

Il ferma d'un coup sec ses mains brunes :

— Vous le pouvez. King doit s'y rendre pour préparer avec Mac Coy l'arrivée des troupeaux cet été. Il partira après-demain, en voiture, avec une escorte. Il ne refusera pas de vous emmener et vous ferez le voyage en toute sécurité.

Elle eut l'impression de recevoir un verre d'eau froide en pleine figure. Lui l'observait toujours. Il savait qu'il jouait en ce moment un jeu dangereux mais il l'estimait nécessaire : il fallait qu'elle comprenne qu'il était tout de même d'une autre trempe que ce Flavien et que s'il prenait une décision, elle était longuement réfléchie et mûrie. Il fallait également éliminer les poisons à leur source. C'était un homme habitué à vaincre d'autres hommes. Élevé par une femme qui avait eu des qualités d'homme. Il ne pouvait imaginer qu'il eût mieux réussi avec plus de patience, plus de tendresse.

Fanny rejeta la tête en arrière :

— Très bien. Faites-le prévenir. Je partirai après-demain.

Il l'admira tout de même, et s'il se tut cette fois, ce fut par pur orgueil. Il ne voulait pas avoir l'air de céder le premier. Malgré tout, lorsqu'il la vit sur le seuil de la chambre, prête à refermer la porte, il réalisa qu'il était en train de la perdre et dit d'une voix blanche :

209

— Fanny, je vous préviens, si vous partez pour Abilene, quel que soit le sort qui vous y attend, ne comptez pas que je vienne vous y chercher ! Ce sera fini, bien fini !

Rien ne pouvait mieux la cabrer.

— C'est également mon avis, dit-elle.

Lorsque, deux jours plus tard, elle monta à côté de Richard King dans la voiture qui devait l'emmener à Abilene, il était debout près de la portière. Elle avait la gorge si serrée qu'elle ne put même pas dire au revoir à miss Phœbé, à Jérôme qui restait avec elle une nouvelle fois. Seulement les embrasser en se mordant les lèvres pour ne pas sangloter. Lui, elle le regarda. Il était livide, la regardait aussi.

Le cocher fouetta les chevaux et la voiture quitta le ranch du Français.

* * *

Pour les cow-boys qui arrivaient par la piste du Sud, les reins rompus par trois mois de selle, Abilene, avec ses dix saloons, ses dancings et ses maisons de femmes arrimés comme à un quai provisoire le long de Texas Street, faisait figure de grande ville.

Mais lorsque Fanny, après un voyage épuisant mené tambour battant par King qui avait horreur de traîner en chemin, descendit de voiture sur le trottoir de bois du cottage — la pension-hôtel la plus élégante pourtant de l'Ouest ! — elle perdit le peu de courage qui lui restait.

Comment pouvait-on appeler Abilene une ville ? Quatre rues bordées de baraquements disparates où le vent, que rien n'arrêtait dans cet horizon plat désespérément, levait des tourbillons de poussière, de papiers, de chiffons. Il n'y

210

avait ni un jardin ni un arbre, rien que cette poussière blanchâtre née d'un sol friable à l'excès et qui vous poudrait en quelques instants comme de farine sale.

— Ne restez pas là, dit King en lui prenant le bras. Entrons ! Ah, voilà Lou !

Une femme grande et forte sortait de la pension et s'avançait avec un large sourire :

— Capitaine King ! Quelle surprise et quel plaisir ! (Elle lui secouait vigoureusement la main, regardait Fanny.)

— Madame Morange, dit King, la femme d'un ami qui a profité de ma voiture pour venir retrouver son mari. Comment va cet excellent M. Gore ?

— Bien, dit-elle en esquissant une sorte de révérence en direction de Fanny. Bien. Vous allez pouvoir juger ! (Et comme Fanny secouait les pans de sa cape, elle rit.) Ah, la poussière ! Sans elle, ça serait plus Abilene ! Et encore, c'est rien ! Attendez un peu que les garçons arrivent ! N'est-ce pas, capitaine King ? (Elle poussa la porte surmontée de grosses lettres peintes en blanc : Drovers Cottage, et en plus petit : Lou Gore.) A mon sens, vaut encore mieux ça que quand il se met à pleuvoir. Alors là, qu'est-ce qu'on prend comme boue ! Plus haut que les chevilles, y a des jours !

Ils entrèrent tous les trois et tandis que Lou appelait à pleins poumons : « Gore ! Descends ! Le capitaine King est là ! » Fanny regardait autour d'elle l'étonnant décor de l'entrée du cottage. King lui avait décrit l'intérieur des saloons, glaces, bouteilles, dorures. Mais le cottage n'était pas un saloon et son entrée rappelait plutôt l'hôtel de Boston où Mathieu et elle avaient vécu les premières semaines... Peluche, ébène, palmiers en pot.

— Hein, capitaine, dit avec une évidente satisfaction Lou Gore, hein qu'il a changé mon cottage depuis l'an passé ?

Cinquante chambres, et la grange derrière pourra cet été recevoir cent chevaux et si ça se peut, mes chambres, je les double encore avant l'arrivée de mes garçons ! Mais les quatre ouvriers qui y a ici, faut de la poigne pour les avoir chez soi ! Forcément : partout on bâtit ! Vous avez dû voir ! Deux banques, trois barbiers, deux établissements de bains ! Y a que ce bougre de Karatofsky ; je sais pas comment il se débrouille, mais il reste le seul tailleur-confection et tout le bazar. Aussi, faut voir la pelote qu'il doit se faire !

On entendait, de fait, un tintamarre de marteaux et de scies venu de l'étage supérieur. Des ouvriers montaient et descendaient l'escalier de bois recouvert de sacs pour protéger les marches.

— Ah, dit encore Lou, voilà Gore. Il va vous faire faire rafraîchir. Moi, faut que je retourne à mes fourneaux ! Si je veille pas à tout ! (Elle se tourna vers une fille d'une vingtaine d'années qui promenait nonchalamment une serpillière sur le plancher parsemé de sciure de bois.) Alors, Katie, t'appelles ça laver à grande eau ? Va me chercher un autre seau, t'entends, et plus vite que ça, ou t'iras t'embaucher ailleurs ! Du côté de l'enfer, ya place, tu sais, pour qui préfère fainéanter que gagner honnêtement sa vie !

La fille rougit et sortit.

— Madame, demanda Fanny à Lou qui commençait à s'éloigner, madame, vous allez certainement pouvoir me renseigner. Mon mari dirige une entreprise de construction ici. Peut-être même est-ce lui qui s'occupe de vos travaux. Monsieur Morange, Flavien Morange. Où pourrais-je le trouver ?

Gore était arrivé. Il saluait King avec effusion et respect — ce respect que l'on doit à un gros client qui vous envoie chaque été une cinquantaine de « garçons ». Les petits yeux noirs de Lou Gore fixaient Fanny.

— Morange… Morange. Hé, Gore, tu vois qui c'est, toi ? Il dirigerait, vous dites, une entreprise de construction. Ça, ça m'étonne. Vu qu'y en a que deux, Mac Intosh et Drixby.

— Morange, dit à son tour Gore. C'est un Français ? Ça me dit quelque chose. Attendez voir. I serait pas pianiste par hasard, ce Morange ?

— Si, dit Fanny. Justement si.

Gore se mit à rire :

— Alors, là, je vois ! Tu sais bien, Lou, c'est ce type qui…

— C'est le mari de cette dame, dit vivement Lou, et un ami du capitaine King !

— Ah.

Il y eut un silence un peu gênant et Fanny surprit le regard qu'échangeaient King et Lou Gore.

— Où pourrais-je le trouver ? répéta Fanny qui sentait l'angoisse monter en elle. Il doit avoir des bureaux quelque part. La ville n'est pas si grande…

— Vous feriez mieux, madame, dit King, de vous reposer un peu. Lou, donne une chambre à Mme Morange. Elle vient de faire un voyage très fatigant.

— Mais je voudrais d'abord savoir, protesta Fanny.

— Allez, allez, dit rondement Lou. Le capitaine a raison. Votre mari, il peut attendre encore, n'est-ce pas ? Si j'ai bien compris, il est pas prévenu de votre arrivée ?

— Non.

— Alors, vous voyez bien, dit Lou. Venez avec moi. Je vais vous donner une bonne chambre. Vous dormirez un peu et après…

— Non, dit Fanny avec violence. Non, je veux d'abord savoir où est mon mari, ce qu'il fait. Je veux savoir la vérité. Je ne pourrai pas dormir une minute à présent.

Lou Gore lui lança un regard approbateur : cette petite avec ses airs de mauviette, grosse comme le poing et une figure tout en yeux, avait de l'énergie pour dix !

— Gore, emmène donc le capitaine se rafraîchir !

Lorsqu'ils furent sortis, elle regarda Fanny :

— Vous devez pas être du genre à tourner de l'œil pour un oui, pour un non ; alors j'y vais franco, excusez-moi mais ça vaut mieux : M. Morange a jamais dirigé aucune entreprise de quoi que ce soit, à ma connaissance. Il a du reste jamais été mon client. Il était descendu chez Pearl. Voilà le malheur. Pearl c'est pas une mauvaise femme, mais chez elle y a une clique pas ordinaire, des croupiers de farose, des joueurs de pokers, bref, des gars qui s'y entendent pour vous plumer le pigeon en moins de temps que je vous parle ! Il semble que votre mari il a été plumé d'entrée. Enfin, c'est ce qu'on dit. Alors après, Pearl qui est une bonne fille s'est arrangée pour le faire entrer dans un dancing, oh, un des plus beaux, et comme les autres ont que des pianos mécaniques, un vrai pianiste, vous pensez, ça leur a plu. Ça ajoute une touche de chic ! Il joue là tous les soirs et il est logé gratis.

Fanny serrait si fort ses doigts que les jointures en étaient blanches.

— Bon, dit-elle péniblement. Ce dancing, comment s'appelle-t-il ?

— Oh, fit Lou Gore, un nom pour attirer les gars, mais faut pas croire que ça soit vrai : le demi-arpent de l'enfer. C'est... enfin c'est difficile à expliquer à une dame, mais y a ici tout un quartier que les garçons appellent l'enfer. Façon de parler !

— Bien. J'y vais.

— Non, dit Lou. Une dame ne peut pas aller...

— Madame Gore, dit Fanny, je me moque d'être une dame ou pas. J'ai vécu à Boston en fabriquant des madeleines pendant que mon mari était prisonnier, j'ai vécu ensuite au Kansas dans une maison de mottes. Votre enfer ne m'effraie pas et je veux voir mon mari.

— Bon, allez-y, après tout... Je vais quand même faire monter votre bagage dans une bonne chambre, pour tout à l'heure. Pour le dancing, vous verrez l'enseigne d'assez loin, vous pouvez pas vous tromper. Vous voulez pas quand même que je dise au capitaine King ? Il pourrait vous accompagner !

— Surtout pas. Merci, madame Gore.

* * *

Elle regardait le visage de Flavien et elle était au-delà de la colère, au-delà du désespoir.

Elle regardait un étranger aux traits bouffis, au teint blême, aux yeux injectés de sang et qui passait d'un geste machinal sa main sur ses joues pas rasées, en répétant d'une voix atone :

— Pour une surprise, alors ça, pour une surprise...

La chambre était à l'unisson : le lit pas fait, du linge qui traînait, un plancher sale et cette odeur écœurante de sueur et de renfermé.

Elle marcha vers la fenêtre, ouvrit en grand. Il restait debout au milieu de la pièce, bras ballants. Quelqu'un frappa, une grosse fille au chignon lourd d'un noir luisant, les bras encombrés de chemises fraîchement repassées. Elle les posa sur la table, dit en fixant Fanny avec curiosité :

— J'ai fait ce que j'ai pu mais pour les plastrons j'ai eu du mal à les ravoir. Si c'est pas dommage, de la batiste fine comme ça, aller l'imbiber de cette saloperie ! Enfin ! Ce que j'en dis, moi, c'est pour vous !

Elle se baissa, ramassa du linge sale, soupira en le prenant à pleins bras — des bras ronds et fermes, nus, très hauts —, fit un vague salut à Fanny et sortit.

— C'est une brave fille, dit Flavien. Elle me rappelle un peu Blanche, tu ne trouves pas ?

Fanny serrait de toutes ses forces le dossier du fauteuil au cuir tout éraflé par les éperons des bottes.

Flavien regardait à présent par la fenêtre et dit de la même voix lointaine, monocorde :

— Blanche m'aimait.

Il prit sur la table, à côté des chemises, une bouteille entamée, se versa une rasade dans son verre à dents et but d'un trait. Son teint se colora un peu, son regard devint plus vif.

— C'est tout sauf du cognac ! Quand je pense à celui qu'on buvait à Chapeau-Rouge !

Il s'en servit une autre rasade, la but et se mit à rire :

— Ainsi tu es venue jusqu'ici (ses yeux se plissèrent) pour te rendre compte, hein ? Eh bien, tu vois ! Je vis enfin de mon piano comme tu le souhaitais ! Oh, évidemment, je ne joue plus du Mozart, ni du Chopin, ni du Beethoven. (Il eut de nouveau ce rire désolant.) J'ai un public moins exigeant ! Une polka, un quadrille et le comble de l'art : une romance ou une valse... Au moins, ce n'est pas fatigant !

Il reprit la bouteille :

— Flavien, je t'en prie, dit Fanny. Ne bois plus. Je suis sûre que tu es à jeun et tu as déjà si mauvaise mine !

— Pas toi, dit Flavien. On ne dirait jamais que tu viens de faire mille kilomètres de pistes ! Il est vrai que (son ton se fit emphatique) la voiture du célèbre capitaine King, le plus gros rancher du Texas, doit être confortable ! Tu as toujours su très bien te débrouiller, toi ! Ce que c'est que d'être une jolie femme ! (Il se rapprocha d'elle.) Parce que tu es très jolie dans ton genre chat sauvage. Je ne sais pas pourquoi tu ne l'as jamais cru ! (Il lui prit le menton.) Même French était sous le charme ! Tu ne t'en es pas aperçue ?

Elle se dégagea avec violence :

— Flavien, je t'en prie, parlons de choses sérieuses. Je ne suis pas venue à Abilene pour entendre des compliments ridicules et qui me laissent froide !

— Tout te laisse froide, je sais !

Elle rougit et il se mit à rire :

— Un beau petit glaçon. (Son visage se crispa.) Et dire que c'est pour ça, pour une femme pétrie de glace, et qui ne m'aimait pas, que j'ai renoncé à rentrer en France, à revoir ceux qui, eux, m'aimaient, que je me suis enfoncé de plus en plus bas pour aboutir à cette déchéance, à ce bas-fond, à cette boue ! (Il parlait avec de plus en plus de violence en gesticulant et lorsqu'il s'approcha d'elle, cette fois, elle recula.) Mais dis-le, dis-le donc une bonne fois ce que tu penses ! Je ne veux pas de ta charité, de ta patience. Ta vertu, je m'en fous ! Comme je me fous de tout à présent ! Tu as vu cette grosse fille. Eh bien, elle m'aime, elle...

— Flavien !

Il eut un geste las :

— Pourquoi es-tu venue ? Pour voir ça ? Pour constater qu'une fois de plus tu avais raison et que je ne suis bon à rien, à rien ! Tu sais qui a acheté tes boucles d'oreilles que j'avais perdues au jeu ? Une madame, comme on dit ici, une tenancière de maison close. La voilà, la vérité ! Celle que tu es venue chercher. Eh bien, tu l'as !

— Flavien, je suis venue te dire que nous rentrerons en France quand tu voudras.

Il la regarda avec stupeur puis il haussa les épaules :

— Je suis très bien ici. J'ai l'intention d'y rester.

— Flavien, je t'en supplie, réfléchis. En France...

Elle s'arrêta, effrayée par sa rougeur soudaine :

— Mais, tu ne comprends donc pas que c'est trop tard ? Tu veux que je rentre en France pour promener ça sous leur nez, alors qu'ils m'ont connu jeune et brillant et beau, car c'est vrai, je l'étais ! que j'aille leur montrer ma gueule d'à présent, ravagée ? Tu crois que je n'ai pas vu ton regard quand tu es entrée ? Tu crois que je ne me vois pas dans une glace ? Je suis un type foutu et je le sais et j'ai encore assez d'amour-propre pour préférer crever ici. Je ne voulais pas que tu viennes, que toi aussi tu voies ça, mes poches sous les yeux et mes doigts qui tremblent. Tu n'as pas remarqué comme ils tremblent mes doigts ?

Il tendit la main et Fanny dit doucement :

— Flavien. Tu te fais mal exprès. Pourquoi ?

— Pour que tu t'en ailles. (Il la regarda et dit à voix presque basse :) Fanny, je t'en supplie, va-t'en.

Il enfouit sa tête dans ses mains et elle le revit cramponné au berceau de Belle. La haine qu'elle avait alors ressentie s'était à présent muée en pitié, mais ce sentiment que Flavien repoussait (et à sa place elle en eût fait autant) était le seul qu'il puisse désormais lui inspirer. Affection, tendresse s'étaient lentement érodées, pan par pan, grain par grain, sous l'usure de l'air bien plus que des rafales violentes qui avaient, par moments, fait tournoyer leurs vies. Une constante

218

usure qu'aucun amour, de son côté à elle, n'était venu endiguer.

Elle n'osait ni s'approcher de lui ni poser seulement sa main sur son épaule, consciente que ces gestes seraient désormais aussi faux que des mots d'amour.

Elle dit lentement :

— Je vais prendre une chambre au cottage, chez Lou Gore. Si tu as envie de venir me voir, viens. Sinon, je comprendrai. Je sais que bien des choses se sont produites par ma faute et que je ne peux plus les réparer, mais je ne t'abandonnerai jamais parce que tu as été le seul, autrefois, à m'aimer.

Les mêmes mots qu'elle avait dits à Claude-Henri dans la vieille maison de Boston. Des mots qu'elle avait failli oublier et qui étaient maintenant les seuls vrais : ce qui restait.

En rentrant au cottage, elle alla trouver Lou :

— Croyez-vous qu'il me soit possible de trouver du travail ici ?

Lou la regarda :

— Ça dépend quel travail ! Et d'abord, qu'est-ce que vous savez faire ?

Le ton de Lou n'était pas très encourageant. Fanny rougit :

— Tous les travaux de maison, la cuisine et un peu de couture.

— Tout et rien, quoi ! Les bourgeoises, vous savez, dans le coin y en a guère, juste la femme du maire, celle du pasteur, du médecin et des deux directeurs de banque. Le reste (elle souffla avec force) ça joue à la dame, mais faut pas gratter fort ! Aucune de celles-là vous emploieront, sauf peut-être si vous saviez leur tailler une robe ou leur broder un jupon, et elles vous paieront des misères ! Je me mêle de ce qui me regarde pas, mais pourquoi repartez-vous pas avec le capitaine King ? Abilene, c'est pas une ville pour une dame qui est seule ou enfin quasiment !

Fanny se raidit :

— Je veux rester à Abilene et rien ne me fera changer d'avis. J'accepterai n'importe quel travail et si la pension chez vous est trop élevée, j'en trouverai bien une autre plus modeste ! Et je peux aller voir Pearl. Je pense que vous l'ignorez mais, l'an dernier, elle a accepté de m'héberger et elle m'a soignée alors que j'étais très malade. Elle acceptera bien de m'aider, elle !

Lou se mit à rire :

— Comme elle a aidé votre mari, sans doute ! Le saloon de Pearl c'est pas un endroit convenable du tout ! Et je vais vous dire une chose, ma petite, qu'on a pas l'air de vous avoir apprise : quand on demande un service à quelqu'un faut jamais s'emballer mais clore son bec et fourrer son orgueil dans sa poche avec un grand mouchoir dessus ! En attendant, allez vous reposer, vous tenez plus sur vos jambes ! Je vais voir ce que je peux faire mais comptez pas sur des miracles. Je suis pas le bon Dieu, moi !

… Le soir venu, elle dit :

— J'en ai parlé avec Gore. On vous prend ici, à l'essai, pour me seconder. Je peux pas être au four et au moulin ! En ce moment, vous pouvez pas juger, c'est le grand calme, mais attendez un peu juin que les garçons arrivent avec leurs troupeaux ! Alors, là, vous comprendrez ! C'est pas une vraie ville Abilene, mais je vous jure que l'été c'est plus animé que New York !

VI

... Une ville folle sous un soleil torride. Et le cottage de Lou Gore vivait lui aussi des heures folles sur un rythme incohérent de sablier détraqué. Jour et nuit il fallait être sur pied, jour et nuit on servait à manger, à boire. Jour et nuit de nouveaux cavaliers arrivaient, hirsutes, blancs de poussière, titubant comme des hommes ivres lorsqu'ils descendaient enfin de cheval après trois mois passés en selle, sur la piste, derrière ou devant leurs troupeaux. Ce n'était qu'après leur visite chez le barbier ou à l'établissement de bains qu'on s'apercevait à quel point leur peau était tannée !

Tout Abilene, en ce mois de juillet, ressemblait à un bateau ivre qui roulait et tanguait, porté par le flot mouvant des grandes transhumances dévalant jour et nuit par la piste du Sud qui venait du Texas, emplissant les rues des cris des hommes, des claquements des fouets, du choc des cornes et du piétinement des sabots, du souffle des bêtes et du « Hi-yippi-yi » des cow-boys, des galops des cavaliers descendant à bride abattue Texas Street...

« Si seulement, songeait Fanny, ces bruits avaient pu cesser la nuit ! Même à l'aube, la ville ne dormait pas, encombrée de conducteurs, de marchands, de spéculateurs et de malfaiteurs ! »

Abilene vivait dans la fièvre, fièvre de chaleur, d'argent, de plaisir : les saloons bariolés regorgeaient de clients et il ne se passait pas de jours que Lou n'ait à réconforter un de ses « garçons » — comme elle les appelait — qui avait perdu au pharaon, au ronde coolo, au monte ou à la roulette la majeure partie des gages qu'il venait de toucher. Les joueurs professionnels et les escrocs de tous ordres pullulaient. Les prostituées aussi qui tenaient sans vergogne le haut des trottoirs de bois !

Lou Gore avait interdit à Fanny de sortir seule.

— Ma petite, je connais mieux que vous Abilene dans ces moments-là ! Mes garçons, je les aime, et ils peuvent pas dire que je les soigne pas, et c'est des bons gars, courageux, honnêtes, durs à la peine. Seulement, c'est des hommes aussi ! Et faut comprendre qu'ils soient affamés un peu comme des loups quand ils débarquent : trois mois de piste, ni alcool ni femmes… alors, deux cognacs, un whisky et le plus pacifique ferait n'importe quoi ! Au cottage, vous risquez rien ! C'est une pension honnête, pas un saloon ni une maison de madames ! Et ils sont prévenus : l'éléphant et la chouette, c'est pas chez moi qu'ils les verront ! [1]

Fanny avait failli sourire : comme si elle avait le temps de sortir ! Avec tout le travail qu'elle avait ! Surveiller partout, à la réception, au bar, à la lingerie, à la cuisine, piquer en hâte à la machine à coudre pour réparer le plus gros des couvertures ou des draps mis à mal par ces éperons et ces bottes que, décidément, les garçons ne savaient pas quitter ! Certains entraient à cheval jusque dans les boutiques !

Et il faisait tellement chaud ! Elle transpirait jour et nuit et Lou veillait à ce qu'on économise la glace taillée dans la rivière l'hiver précédent et qu'on gardait enfouie pour pouvoir, l'été, servir des boissons fraîches.

Elle n'avait plus le temps même de penser à Flavien qui n'était jamais venu au cottage et lui avait renvoyé sans les

---

1. Expression consacrée…

lire les deux lettres qu'elle lui avait fait porter au dancing. Plus le temps de se dire : « Qu'est-ce que je fais ici ? Pourquoi m'obstiner ? Il ne viendra pas, il ne viendra plus. Autant partir à Boston rejoindre miss Phœbé et Jérôme. A quoi puis-je servir en restant ici ? Je ne peux plus rien pour Flavien. » Plus le temps de se dire : « Claude-Henri avait-il raison en m'accusant de sacrifier notre bonheur à des chimères ? Non, ce n'est pas une chimère. Je dois rester là pour le cas où Flavien se sentirait trop à bout. Peut-être que je l'aide sans le savoir ? Que je suis le dernier fil qui le retient. S'il apprend que je suis partie... » Elle avait vécu ces trois mois dans la hantise qu'il ne se suicide. A présent, elle n'avait plus le temps d'y penser.

Et elle était si agitée que c'est à peine si elle reconnut Paco lorsqu'au matin du 10 juillet il se présenta, escorté de ses hommes, au cottage. Ce fut lui qui dit :

— Madame Morange !

Elle se retourna, une pile de draps sur les bras.

— Paco !

— On est arrivé cette nuit.

Et elle retrouvait d'emblée les préoccupations du ranch, demandait :

— Combien conduisiez-vous de bêtes ?

Il souriait de satisfaction :

— Quatre mille. Deux beaux troupeaux.

Elle posait carrément les draps par terre, s'asseyait à côté, bras enroulés autour des genoux relevés comme une petite fille écoutant une histoire ; elle disait :

— Racontez ! Comment a marché le round-up de printemps ?

— Très bien. Et l'an prochain, je crois que ce sera French le maître du round-up [1].

Pourquoi parlait-il si vite de lui ? Tout se rouvrait d'un coup, joie et douleur. Elle parvenait à dire :

— Oh, c'est magnifique ! Et Roi-Mage ? Est-ce qu'on le monte un peu ?

— Oui, dit derrière elle une voix qui la fit sursauter. Oui, moi.

Elle regardait, pétrifiée, Claude-Henri qui achevait de monter l'escalier. Il souriait, parfaitement rasé, bronzé, vêtu de frais. Paco tâta sa propre barbe :

— Tu as fait vite, hombre ! Tu as joué du six-coups, dios mios, pour que le barbier te serve en premier !

Elle ne pouvait détacher ses yeux de ce visage. Mains brûlantes puis glacées, plongée dans un tourbillon de pensées discordantes que dominait la seule idée : il est venu, il est tout de même venu !

— Vous avez, réussit-elle à articuler, vous avez conduit vous-même les troupeaux ?

— Pourquoi pas ?

Lui aussi la regardait mais il était impossible de rien lire sur son visage. Comment faisait-il pour avoir l'air aussi calme ? Il semblait à Fanny que n'importe qui pouvait déceler sur ses traits à elle cette montée soudaine d'eaux mêlées, fièvre et peur, désir et angoisse.

— Vous êtes comme Paco ! Vous doutez de mes talents de conducteur ? Jamais je n'ai pu le convaincre de rester au ranch ! Il prétendait que Buck suffisait et j'ai dû en passer

1. Désigné par l'Assemblée générale des propriétaires, le maître du round-up dirige toutes les équipes à quelques ranchs qu'elles appartiennent et juge les éventuels litiges.

par là ! A présent, il est bien forcé d'admettre que pour un bleu, je ne me suis pas si mal débrouillé !

— Heu… fit Paco.

— Quoi, heu ? Le soir où nous avons eu cet orage ? Un orage comme je n'en ai jamais vu avec de tels éclairs qu'ils semblaient fulgurer sur les cornes mêmes des bêtes ! Et en quelques secondes, sous un déluge d'eau, une de ces paniques ! Je suis monté en selle sans avoir même le temps de mettre mes gants (il tendit ses mains). Je me suis tiré des épines de cactus de chaque doigt pendant tout le reste du voyage et je ne suis pas sûr qu'il n'y en ait plus !

Comment pouvait-il parler aussi aisément alors que sa gorge à elle se serrait, se serrait tellement ! Si seulement il parlait pour dire la seule phrase qu'elle attendait, qu'elle guettait désespérément : je suis venu pour vous revoir…

Mais non ! Il disait du même ton satisfait :

— Ça me tentait depuis trop longtemps de faire un drive !

— Et c'est la dernière fois que tu le peux !

Pourquoi jetait-il à Paco ce regard mécontent ? Elle demanda avec une angoisse accrue :

— La dernière fois ?

Il eut un geste désinvolte :

— Si je suis l'an prochain le maître du round-up, je ne le pourrai pas.

Elle surprit le regard de Paco et son angoisse, au lieu de s'apaiser, augmenta. D'en bas, une voix cria :

— Madame Morange ! Madame ! On vous demande pour la livraison de sucre. Y a Katie qui dit que…

— Je viens, cria Fanny. Dis à Flossie de monter pour les draps ! (Elle se releva vivement, dit aux deux hommes qui la regardaient :) J'ai tant à faire !

Et elle descendit l'escalier en courant.

Paco dit brusquement, d'un ton bourru :

— Le lièvre le plus agile ne peut courir sur deux sillons. Il doit choisir. Je croyais que tu l'avais fait !

Claude-Henri ne répondit pas. Paco reprit :

— En tout cas, je te préviens, hombre, si elle m'interroge, je lui dis, moi, que tu te maries à l'automne avec Rachel Hunter.

Claude-Henri haussa les épaules et s'en alla.

* * *

La ville tourne, folle, comme une grande roue dans des bruits de fête foraine, jours et nuits se mélangent poussière et chaleur, bouteilles reflétées aux glaces des saloons, rires des prostituées, poker et pharaon, galops de chevaux, coups de pistolets, fièvre et poussière dans le piétinement de milliers de sabots.

Et dans sa tête, tourne jour et nuit la même pensée, la même phrase dite par Paco, hier, avant-hier, quand ? Peu importe, le temps n'a plus de sens dans cette sarabande où les heures deviennent chaos : il épouse Rachel Hunter, à l'automne.

Et elle continue de monter, de descendre, de ranger des piles de draps, d'en sortir d'autres, de piquer, de surveiller, de sourire, de réprimander, de crier à chaque appel : « Je viens, madame Morange ! »

Madame Morange. Madame French, jamais. Elle l'a voulu, elle le sait. Elle n'a qu'à s'en prendre à elle mais cela fait tellement mal. Tout fait mal, se rappeler, penser, le passé, l'avenir... Quel avenir ? Une vieille demoiselle, un petit garçon, une fabrique de biscuits, une ville aux toits en pignons bordant une rivière qui ne sera jamais la sienne comme une autre l'était. La Nueces, un si bel automne dernier et le prochain, lui qui sera marié.

Son mari à elle joue du piano dans un dancing et il achève de se tuer à boire — Lou Gore l'a dit à mi-mot — ivre mort à l'aube, et cette grosse fille près de lui, cette fille qui lui rappelle Blanche, « elle m'aimait »... Et elle, Fanny, qui attend quoi ? Quelle absolution qu'il ne lui donnera jamais pour cette faute ancienne qu'elle ne lui a jamais confessée ? Quelle faute ? De s'être sauvée une nuit de Saint-Jean ? D'avoir été naïvement à un rendez-vous truqué ? D'avoir voulu fuir un souvenir qui faisait honte ? D'avoir épousé un homme qu'elle aimait bien sans l'aimer vraiment ?

Où est dans tout cela la faute ? Sa faute ? Elle ne sait plus. Elle a mal, tellement mal. Elle revoit Paco quelquefois. Claude-Henri, non. Il a toujours sa chambre ici pourtant, mais il a ce que Lou appelle en riant : « un coup de lune ». Pour une fille de chez Pearl. Liberty Rose. Un curieux nom. Il passe sa vie dans le saloon de Pearl. Est-ce qu'il se souvient que Pearl a sauvé Fanny il y a juste un an ? Pearl a des cheveux roux comme sur son portrait Laure Balguière. Un portrait resté en France. Personne ne le lui a envoyé. L'oncle Théodore n'a pas dû revenir à Boston.

Son esprit tourne, vire, comme dans la chanson du feu de la Saint-Jean : « Y avait Jeanne et puis Suzon, Madeleine et la Fanchon... Quand ? Mon Dieu, quand ? La nuit de la Saint-Jean ...la nuit des temps... »

Ici toute la nuit on entend des chansons de selle : « Coma ti youpiya, coma ti youpi... » Ou bien *Home on the range,* une chanson qui elle aussi fait mal : « Ô, donnez-moi une maison où rôde le bison... » Quelle maison aura-t-elle jamais ?

Et puis un soir, un des derniers soirs de juillet cette histoire qui fait en un instant le tour de ville et que des garçons, avec de grands fous rires, des claques dans le dos, viennent raconter à Lou.

French a fait un scandale dans la maison de Mattie Dunn — Cattle Mattie, c'est son surnom ! — une vraie descente, avec Paco et tous ses hommes, et ils ont menacé de tout casser. Ils ont même commencé à tirer dans les glaces et les filles piaillaient. Et pourquoi ?

La réponse vient qui la cloue :

— French voulait ses boucles d'oreilles ! Des boucles tout en perles et en diamants verts. Il les voulait à toute force. En payant. Un gars comme French est pas un voleur. Mais Cattle Mattie, elle y tenait aussi. Alors, la bagarre que ça était ! A la fin, quand elle a vu qu'ils allaient vraiment tout casser, elle a cédé mais il les a payées, et le bon prix ! Ah, ce French, quel type tout de même... Savoir à présent qui les portera : Liberty Rose ? T'y penses pas !

Tout le monde rit. Lou s'amuse. Elle aime bien « monsieur French ». Fanny est blême. Qui le remarque ? Qui la regarde ? Et une nuit de plus elle ne dort pas. Une toute petite lueur d'espérance clignote, loin, encore si loin... Quel souffle l'éteindra, comme l'autre, celle qui lui avait fait croire qu'il n'était pas venu à Abilene pour le seul plaisir du drive mais un peu pour elle? Malgré sa phrase : Ne comptez pas que je vienne vous y chercher...

La ville folle tourne dans la nuit, tête en haut, tête en bas, grande roue de fête foraine, et le maire a beau faire afficher que le port d'armes est interdit dans Texas Street. Toutes les affiches sont instantanément criblées de balles. Un cavalier surtout s'acharne. Il est grand et blond. Il a un beau visage, des yeux clairs frangés de longs cils. Et les filles de « l'enfer » l'appellent l'ange. Elles se battent pour lui qui ne les regarde pas. Il poursuit son cheminement solitaire. Il est venu à Abilene avec les troupeaux du King Ranch. King est son nouveau maître, mais lui ne pense qu'à French, à cette femme qui lui a volé l'amour de French, et il passe son temps au dancing où joue Flavien.

Ils ont oublié Nord ou Sud, Géorgie et Andersonville. Dallas paie à boire et Flavien boit. Après, aux heures creuses du petit matin, dans l'odeur de cigare et de mauvais cognac, Flavien joue et Dallas écoute.

Flavien joue le même concerto, en ré mineur, de Mozart, pour piano. Et il bute sur le même passage, celui si tendre de l'andante. Ses doigts n'ont plus assez de souplesse. Et c'est un passage où le jeu doit être aérien.

Flavien s'obstine. Il a tout oublié. Il est à Chapeau-Rouge, cette grande bâtisse élégante et racée où tous les Morange sont nés. Il revoit l'alignement des vignes, les tilleuls de la grande allée où les arbres alternent avec les rosiers du Bengale. L'ombre est fraîche, vert tendre. Fanny lui sourit. Une petite fille sauvage et dorée, secrète avec un beau regard d'infante en train de danser sa pavane.

Ré-mi-do... Dallas écoute — lui se souvient — trois gouttes d'une eau si pure sur un coteau de Géorgie. La source coule sous les pins et Ellen vient s'y regarder. Elle a les yeux de Dale et ses traits d'ange. Elle est la seule fille du vieux James Russell, la benjamine née après cinq garçons qui ont le diable au corps. Cinq garçons pleins de vie, fougueux comme les chevaux de l'élevage de leur père.

Ré-mi-do... Thomas et John sont morts en Virginie, la première année de la guerre, Mark à Fredericksburg, Andrew à Atlanta... Les soldats de Grant sont passés en Géorgie et le

229

vieux James est mort en essayant de défendre ses derniers chevaux... Tout a brûlé et Ellen a épousé un Yankee...

— Bois, dit Dallas, bois. French est un salaud ! Et il est ici. Pour ramener ta femme à son ranch. Elle le suivra. Elle te laissera crever tout seul...

Toutes les aubes, le même refrain qui glisse sur Flavien. La Fanny qu'il aimait, on ne peut la lui prendre. Elle est sous les tilleuls de la grande allée. En France.

* * *

Dans la petite pièce, sous le toit, il faisait une chaleur étouffante. Fanny piquait à la machine. Au bruit de la porte qui s'ouvrait, elle ne se retourna pas, dit, par habitude :

— Pose-les sur la table. Combien y en a-t-il ?

Le silence l'étonna. Elle arrêta le va-et-vient de son pied sur la pédale, s'épongea le front d'un revers de manche, et il fut soudain là, dans le contre-jour de la fenêtre. Il tenait un écrin à la main.

— J'imagine que vous êtes au courant ?

Il parlait sans ironie et le pli railleur de sa bouche ressemblait davantage à un pli de fatigue.

— Ça a fait assez de bruit !

— Je n'ai pas pu supporter de les voir aux oreilles de... de qui vous savez.

Il ouvrit l'écrin, regarda les boucles d'oreilles :

— Vous m'aviez raconté leur histoire et que votre grand-mère ne les a jamais portées parce que lorsqu'il était revenu, elle était mariée.

Il referma l'écrin, le mit dans sa poche. Son geste ressemblait à un adieu et elle réunit tout son courage pour

230

dire ce qu'il fallait qu'elle dise à présent, ne fût-ce que par dignité :

— Paco m'a appris que vous alliez épouser à l'automne Rachel Hunter. Je vous souhaite...

Et elle ne pouvait achever. Parce qu'il était contre elle, que sa bouche se posait sur la sienne. Un baiser qui était peut-être un adieu lui aussi... qui achevait de la désemparer, de la désespérer.

Il se redressa, dit lentement :

— Je n'ai pas pu m'empêcher de venir à Abilene. Et maintenant je sais que je n'épouserai pas Rachel Hunter. Vous êtes entêtée, mais moi je suis plus coriace que vous. Je ne partirai pas d'ici sans vous.

Il ne lui laissait le temps ni de protester ni de répondre et s'en allait, silencieusement, comme les chats.

* * *

Le soleil d'août brûle la ville. Wagons après wagons, les bêtes embarquent mais le cottage est toujours aussi plein, et les saloons, et les dancings, et les rues. Nuit et jour. Les gages d'une année flambent en un soir. Les lumières grillent les ailes des phalènes que leurs reflets attirent près des glaces. Deux shérifs ont déjà démissionné. Il y a décidément trop de rixes et l'on ne peut garder personne en prison si les garçons ont décidé que c'était injuste ! Ils libèrent, commandent, font la loi, et les bourgeois maugréent mais à voix pas trop haute : Abilene vit de ces garçons-là ! Abilene ne vit que de l'été... Le 7 août, à l'heure creuse du petit matin, la bagarre, une de plus, éclata au dancing du « Demi-arpent de l'enfer ». Un de ses hommes alerta French :

— Patron, Dallas Russell fait des siennes ! Il a juré de nous descendre tous et vous avec ! Ricardo est bien amoché, Green aussi.

Quand Claude-Henri entra, suivi de Paco, il y avait déjà, de fait, pas mal de casse. Les bouteilles brisées coulaient le long des glaces, les tables étaient renversées. Le patron tentait vainement de s'interposer. Flavien, seul, continuait à jouer du piano.

L'arrivée de Claude-Henri fit le silence et l'on entendit mieux les notes tendres de l'andante, mieux la voix incisive :

— Alors, Dale, c'est moi que tu cherches ? Tu as mis le temps !

Flavien se leva brusquement. Il avait tellement changé que Claude-Henri le regardait, stupéfait : ce n'était pas possible, ce n'était pas pour cette loque, pour cette ruine que Fanny s'obstinait...

Il vit Dallas passer un pistolet à Flavien et il pensa : pour quoi faire ? Il est ivre, il tremble, il est incapable de viser, de tirer...

Il tirait cependant une balle dérisoire qui allait se perdre dans le mur. Et presqu'à la même seconde, Dallas abattait Flavien, à bout portant. Paco lui aussi venait de tirer, une fraction de seconde trop tard. Dallas tombait et la balle que Claude-Henri tirait ne rencontrait plus que le vide et fracassait une glace.

A l'instant, Claude-Henri comprit quel piège de Dallas s'était fermé sur lui : qui, parmi les témoins, pourrait dire qui avait tué qui ? Qui avait tué Flavien ?

— C'était ton tour après Morange, dit Paco.

Peut-être avait-il raison, était-ce plus simple, et n'existait-il de piège que dans son esprit accablé par cette réalité démentielle : Flavien était mort au cours d'une bagarre à laquelle, lui, Claude-Henri, participait et comment ferait-il la preuve qu'il n'y était pour rien ? Si seulement Paco avait tiré sur Dallas, à temps ! Est-ce que Paco lui-même avait voulu... Non. En laissant Dallas tuer Flavien, il avait obéi sûrement à un mobile inverse qu'il tairait toujours.

— Tu es le meilleur tireur de la Nueces !

— J'étais.

Visage impénétrable. Et, par terre, le visage de Dallas aussi pur, aussi beau que la gravure italienne accrochée au mur de la chambre de sa mère, à Aix. Le visage de Flavien, bouffi, méconnaissable et, autour de leurs cadavres, le décor misérable et clinquant d'un dancing du Far West. Abilene, an III...

Le sentiment de l'absurde domina un instant Claude-Henri : absurde des destins, absurde de la vie. Pourquoi Flavien était-il venu mourir là ? Il revoyait la cabane, la rivière et les feux de Saint-Jean trouant d'ocre la nuit... Il le revoyait, élégant, séduisant, désinvolte, s'habillant pour le bal, marchant sur ses habits, incapable de nouer seul sa cravate... Il sentait l'odeur du vétiver, voyait les rideaux de l'alcôve, la glace où, quelques instants plus tard, se refléterait le visage de Fanny... Et il éprouvait à présent une lassitude mêlée d'amertume : la vie qu'il aimait tant pouvait être ça, un gâchis, une machine monstrueuse à broyer, à détruire. Mais pas une seconde il ne pensa qu'il avait peut-être aidé à cette destruction... Il appartenait à la race dure des vainqueurs.

Autour de lui, on criait, on s'agitait, un médecin arrivait et un pasteur, à tout hasard. Puis le maire. Il le saluait. On lui expliquait. Le maire avait l'air soulagé : depuis trois jours il n'y avait plus de shérif dans la ville.

Quelqu'un dit :

— Le pianiste, il a une femme. Qui va la prévenir ?

Claude-Henri s'entendit répondre :

— Moi.

* * *

Des jours absurdes. La grande roue, faussée, tournait à l'envers. Avait-elle cru ce qu'il disait ? Avait-elle cru qu'il l'avait tué ? Pourquoi lui imposait-elle ce silence dans lequel il sentait l'espoir vaciller, s'étouffer ?

Depuis une semaine, il attendait un signe d'elle. Vainement. Alors il buvait, verre après verre, chez Pearl. N'avait-elle donc pas compris qu'il n'était pas venu aux obsèques parce que… oui, il fallait l'admettre, parce que cela lui avait paru indécent. Uniquement vis-à-vis d'elle ! En avait-elle déduit que c'était une preuve… Mais Paco était là pour confirmer son récit ! Pourquoi refusait-elle de voir Paco ? Elle interdisait sa porte à tous ceux qui, de près ou de loin, touchaient à lui. Et il attendait. Qu'est-ce qu'elle attendait ?

Il s'était enfermé dans une chambre, tout seul. Il ne se rasait plus, ne se lavait plus, il dormait à peine et il buvait. C'était la première fois de sa vie qu'il se sentait impuissant, vaincu. Par les mensonges qui couraient la ville. Les graines semées à tous vents par Dallas croisaient follement et Paco avait dû interdire aux hommes du ranch de se battre pour rétablir la vérité : ils n'y auraient pas suffi !

La ville délirait, brûlée de soleil, et si ça continuait, il finirait par délirer lui aussi ! Paco seul venait de temps en temps, hochait la tête, disait : « Qu'y puis-je ? » aux questions dont il le harcelait. « Nada ! » Rien.

234

Il arriva un matin, le visage toujours aussi impénétrable, mais sa voix vibrait curieusement :

— Elle part aujourd'hui par le chemin de fer, vers Saint-Louis. (Il eut un geste incitant au calme.) Réfléchis, hombre ! Qu'est-ce qu'elle peut faire avec ce qu'on raconte partout sur toi et sur elle ? Même les boucles d'oreilles, on sait pourquoi tu les voulais, le joueur s'en souvient et Cattle Mattie ne te rate pas ! Et toutes ces femmes jacassent ! (Il cracha.) Toi, tu t'enfermes ici, tu ne les entends pas. Nous, oui ! Et je te le dis, hombre, tes hommes en ont assez de se laisser injurier sans répondre !

La colère le faisait enfin se dresser. Il plongea son visage dans la cuvette d'eau, cria :

— Va demander du café noir, le plus fort possible ! Et dis au barbier de monter, je n'irai pas dans sa boutique !

Une idée germait, qu'il examinait, creusait, exposait enfin à Paco rayonnant. Ah, les gens d'Abilene qui aimaient tant de parler allaient enfin pouvoir le faire pour du concret, et ses hommes n'auraient plus honte de porter la marque du ranch du Français !

Un dernier doute pourtant le tenaillait :

— Et si elle résiste ? Si elle refuse ?

Paco le balaya d'un geste :

— C'est qu'alors tu la connais mal !

* * *

Les wagons de bois cahotaient au long des rails dans un paysage monotone d'herbes. Le vent était brûlant et rabattait des tourbillons de fumée par les vitres ouvertes, mais si on les fermait on étouffait. Si bien que l'on eût cru que la poussière

235

d'Abilene continuait à coller à vous. Comme collaient les souvenirs et les calomnies.

Car elle savait bien, elle, qu'il n'avait pas tué Flavien. Le jeu sinistre de Dallas, elle l'avait parfaitement compris. Et il avait réussi : même Lou Gore doutait et son regard, les derniers jours, fuyait celui de Fanny. Tous la rendaient responsable de cette mort affreuse de Flavien comme s'il ne suffisait pas qu'il soit mort dans la même ville qu'elle, sans l'avoir revue une seule fois en quatre mois, sans qu'elle puisse désormais savoir s'il avait fini par lui pardonner de n'avoir pas voulu rentrer en France !

Pouvaient-ils comprendre ce désespoir-là, tous ces gens acharnés à remuer des pelletées de boue ? Ils ne connaissaient ni la France, ni la maison au bord des quais, ni Chapeau-Rouge que Flavien avait tant aimé. Ils ne pouvaient pas savoir qu'il avait été un jeune homme rêveur et tendre, exalté et chimérique mais gai, si gai et qu'elle avait tendrement aimé. C'était ce Flavien-là qu'elle pleurait. Pour celui-là qu'elle avait tant tremblé lors des combats en Virginie — et il eût mieux valu qu'il y fût tué...

Leur dernière conversation, les phrases qu'il avait dites la brûlaient comme un autre vent desséchant, aride, qui tarissait les larmes en assoiffant le cœur.

Pourquoi Claude-Henri, qui aurait pu comprendre, lui, ce désespoir, s'était-il muré, enfermé chez Pearl — avec cette Liberty Rose sans doute ! Lui était un homme, aurait pu la défendre, aurait dû la protéger, démentir ces calomnies ! Elle se moquait bien de Paco ou des autres qu'il lui avait envoyés. C'était lui qu'elle aurait voulu, lui seul. Pourquoi n'avait-il pas eu le courage de venir ?

Elle avait tant tourné ces pensées dans sa tête qu'elle ne savait plus, ne voyait plus... Indifférente, inerte, elle se laissait aller aux cahots des wagons de bois qui lui en rappelaient d'autres, le premier départ au Kansas... Cette fois, elle rentrait à Boston.

D'autres voyageurs, en face, à côté d'elle, parlaient, mangeaient, discutaient. Ils devaient croire qu'elle dormait ! Elle était entrée dans une sorte de torpeur, à force de chagrin, de questions, de doutes, de regrets.

Le crépuscule tombait. Le train amorça une courbe et ralentit, ralentit au point que des cavaliers lancés au galop le dépassèrent sans peine. Où pouvaient donc aller ces cavaliers ?

Un cahot plus brutal la jeta contre son voisin. Le train venait de s'arrêter. Des gens, quelque part, criaient. Des coups de pistolet claquèrent et le cri des rebelles monta. En face d'elle, une femme affolée dit :

— Seigneur, protège-nous ! On attaque le train ! Ce sont les bandits de Jesse James ! Ils vont nous prendre nos bijoux, notre argent ! Voyez !

Plusieurs cavaliers s'approchaient des wagons. Sous les grands chapeaux, dans le soir qui tombait, on distinguait mal leurs traits. Il lui sembla qu'un d'eux avait la silhouette de Paco. Elle pensa : je rêve !

Son voisin la secoua :

— Madame, il faut descendre ! Ils veulent qu'on descende et ils sont armés !

Elle le suivit, descendit. Un cavalier cria :

— Ici, hombre !

Elle n'eut pas le temps cette fois de penser à Paco. Un cavalier arrivait sur elle, se penchait, encerclait sa taille d'un bras, la soulevait, la hissait sur la selle devant lui et repartait au galop.

D'autres galops, derrière eux, retentissaient, des coups de pistolets, des cris gutturaux entrecoupés de hourras triomphants : hourra pour le French Ranch !

Abasourdie, suffoquée par le vent, le galop du cheval, elle cria :

— Êtes-vous fou ?

A son tour, il cria contre son oreille :

— Seulement têtu !

Les mèches de Fanny fouettaient son visage, coulées d'or brun, coulées d'or roux, ses yeux levés sur lui avaient la teinte des topazes, le crépuscule la dorait tout entière, sa bohémienne, sa caraque, Fanny French désormais, du ranch du Français.

Imprimé en Belgique par Casterman, S. A., Tournai, janvier 1973. E 5093-6840.
D. 1973/0053/54.

9427B